DÉLIRONS AVEC Léon

BD, GAGS, JEUX ET PLUS ENCORE !

SPÉCIAL OLYMPIQUES

PAR

ANNIE GROOVIE

À vos marques !
prêts ?

Merci à Yue Ma,
Luc Hénault,
Marie-Josée Turcotte,
Daniel St-Hilaire,
Jason Raymond et
tous les athlètes qui ont
contribué généreusement
à la création de ce
numéro tout spécial.

POW!

partez!!!

À Yan,
mon amour.
Bonne chance
pour le grand
marathon !

EN VEDETTE :

LE CHAT

Fidèle ami félin plein d'esprit.
On ne peut rien lui cacher.

LÉON > NOTRE SUPER HÉROS

Le surdoué de la gaffe,
toujours aussi nono et aventurier.

LOLA >

La séduisante au grand cœur.
Son charme fou la rend irrésistible.

TABLE DES MATIÈRES

ARRIVÉE!

AMATEURS DE SPORT, BONJOUR!

CE NUMÉRO TOUT SPÉCIAL REND HOMMAGE À UN ÉVÉNEMENT GRANDIOSE, À UNE FÊTE SPORTIVE QUI RÉCOMPENSE LE TALENT, LES EFFORTS ET LA DÉTERMINATION DE MILLIERS D'ATHLÈTES DU MONDE ENTIER : LES JEUX OLYMPIQUES.

MAIS POURQUOI AVOIR FAIT CE LIVRE ?
EH BIEN, EN TANT QU'ANCIENNE GYMNASTE ET MORDUE DE SPORT DEPUIS TOUJOURS, J'AI EU ENVIE DE RÉUNIR DEUX DE MES PASSIONS LES PLUS CHÈRES : LE SPORT ET LA CRÉATION.

TOUT A COMMENCÉ AVEC LES JEUX OLYMPIQUES DE MONTRÉAL, EN 1976, ALORS QUE NADIA COMANECI, PAR SES IMPRESSIONNANTES ACROBATIES, M'A DONNÉ LA PIQÛRE POUR LA GYMNASTIQUE ET EST DEVENUE MA PLUS GRANDE INSPIRATION. MERCI, NADIA !

ET LÉON, LUI ? BIEN QU'IL SOIT UN PEU PARESSEUX SUR LES BORDS, IL AIME AUSSI BEAUCOUP LES SPORTS... LA DIFFÉRENCE, C'EST QUE, LUI, IL PRÉFÈRE LES REGARDER À LA TÉLÉ !

JE PEUX VOUS DIRE QUE CRÉER CE LIVRE A ÉTÉ TOUT UN MARATHON ! EN PLUS DE FAIRE DE NOMBREUSES RECHERCHES SUR LE SUJET, NOUS AVONS EU LA CHANCE ET LE PRIVILÈGE DE RENCONTRER DES ATHLÈTES EN OR. OUI, OUI, DE VRAIS ATHLÈTES, EN PERSONNE ! TOUS NOUS ONT PARLÉ, ENTRE AUTRES, DES DURS SACRIFICES QU'ILS ONT DÛ FAIRE ET FONT ENCORE AUJOURD'HUI POUR RÉALISER LEUR RÊVE.

JE LES ENVIE, COMME VOUS, PROBABLEMENT, DE POUVOIR VIVRE CETTE EXPÉRIENCE DES PLUS PRESTIGIEUSES, CAR QUI N'A JAMAIS SOUHAITÉ PARTICIPER UN JOUR AUX OLYMPIQUES ?

RETENEZ VOTRE SOUFFLE ET PRÉPAREZ-VOUS À PLONGER DANS 200 PAGES DE TRUCS COMPLÈTEMENT INÉDITS AUTANT SUR LES JEUX OLYMPIQUES QUE SUR NOS ATHLÈTES QUI Y PARTICIPERONT ET SUR LE PAYS OÙ ILS AURONT LIEU, LA CHINE. ET QUI SAIT, PEUT-ÊTRE CELA VOUS DONNERA-T-IL ENVIE DE FONCER ET DE VOUS DÉPASSER VOUS AUSSI ? CAR APRÈS TOUT, IL Y A SÛREMENT DE FUTURS CHAMPIONS PARMI VOUS !

BONNE LECTURE, BON ÉTÉ ET BONS JEUX,

Annie Groovie

* Maintenant, pour obtenir le *vrai* logo olympique, il ne vous reste qu'à remplacer les carrés par des cercles. N'est-ce pas génial ?

PETIT HISTORIQUE DES OLYMPIQUES

Qui n'a jamais entendu parler des Jeux olympiques ? Très peu de gens, me direz-vous, et sûrement pas ceux qui ont une bonne vieille télé à la maison ! Lorsque cette compétition internationale débute, que ce soit durant l'hiver ou l'été, tout le monde en parle. En fait, les Olympiques relèvent d'une tradition beaucoup plus ancienne que la confiture aux fraises maison de nos grands-mères... Mais qu'en savons-nous au fond ? Très peu de choses. Eh bien, qu'à cela ne tienne : lisez ce qui suit et vous en apprendrez davantage sur cet événement haut en couleur et en émotions.

Tout au début...

Les Jeux olympiques ont eu lieu pour la première fois en Grèce. On les appelle « Olympiques » pour deux raisons : d'abord parce que les premiers Jeux étaient consacrés aux dieux grecs, qui habitaient l'Olympe, une espèce de paradis, mais aussi parce qu'ils se tenaient près de la ville d'Olympie. Imaginez : ces Jeux ont vu le jour en 776 av. J.-C. ! Ils ne datent pas d'hier...

On y présentait toutes sortes d'épreuves, qui ressemblent en partie aux compétitions que nous connaissons aujourd'hui : les courses de chevaux (avec ou sans chars), le pugilat (l'ancêtre de la boxe), la lutte, la course et les divers lancers (du javelot et du disque, par exemple). On peut noter au moins deux différences majeures avec les Jeux d'aujourd'hui : d'abord, les compétitions étaient organisées entre les villes grecques et non entre les pays. Ensuite, seuls les hommes pouvaient participer aux concours.

À cette époque, les athlètes compétitionnaient, la plupart du temps, nus (oui, nus comme des vers !) et s'enduisaient d'huile pour échauffer leurs muscles et éviter la déshydratation. Est-ce qu'on pourrait voir ça de nos jours ? En tout cas, sûrement pas aux Jeux olympiques d'hiver !

Un traitement royal pour les gagnants

Les vainqueurs des différentes épreuves étaient considérés comme de véritables héros. On associait tout un rituel à leur victoire : on clamait d'abord haut et fort leur nom ainsi que celui de la ville qu'ils représentaient : « Ti-Jean Tremblay, Chicoutimi ! » Ils étaient ensuite appelés à faire un tour de piste symbolique, pendant lequel les spectateurs pouvaient leur lancer des fleurs en signe d'admiration, en criant encore leur nom : « Ti-Jean, Ti-Jean ! »

Notez que seuls ceux qui terminaient premiers recevaient un prix : les deuxièmes et les troisièmes places n'étaient pas soulignées, pas même par une tape dans le dos ! Et quelle était la fameuse récompense offerte aux vainqueurs ? Une couronne de fleurs d'oliviers qu'on leur posait sur la tête, symbole de paix et de gloire. C'est bien beau, des fleurs, et ça sent peut-être bon, mais ça se conserve pas mal moins bien qu'une médaille d'or sur un mur !

Oh, oh...

Vers 393 ap. J.-C., les Romains, peuple d'une grande puissance, ont décidé d'interdire les Jeux. Pourquoi ? Parce que Théodose Ier, l'empereur, avait déclaré que le christianisme serait la nouvelle religion officielle de l'empire. Comme les Jeux olympiques tels qu'ils avaient été conçus étaient dédiés aux multiples dieux grecs, ils déplurent aux Romains, qui voulaient voir la religion chrétienne s'imposer chez tous les peuples sur lesquels ils régnaient. C'est la raison pour laquelle les festivités sportives ont été abolies. Peut-être aussi que l'empereur n'était pas très bon en sport et ne voulait pas faire rire de lui !

14

Heureusement, Pierre de Coubertin, un historien français fanatique de sport, redonna vie aux Jeux olympiques... après 1400 ans ! Si, en 1896, les premiers « nouveaux » Jeux n'attirèrent que 245 concurrents provenant d'une quinzaine de pays, de nos jours, environ 200 pays sont représentés par 10 500 athlètes aux Olympiques d'été. Imaginez : aujourd'hui, presque autant de pays prennent part aux compétitions qu'il y avait d'athlètes aux premiers Jeux modernes !

Les Jeux olympiques d'hiver sont apparus beaucoup plus tard, puisqu'on s'était d'abord inspiré des Jeux grecs, qui ne comportaient que des épreuves estivales. Avez-vous déjà essayé de faire du ski de fond sur un chemin de terre ? Laissez-moi vous dire que ce n'est pas si simple... Il a donc fallu attendre jusqu'en 1924 pour assister à la première édition des Jeux d'hiver à Chamonix, en France.

Et la devise est...

Si vous demandez à quelqu'un de vous citer la devise des Jeux olympiques, il vous répondra sûrement : « L'important n'est pas de gagner, mais de participer. » C'est certainement une belle philosophie, mais ce n'est pas celle des Olympiques ! Il s'agit plutôt de « citius, altius, fortius », une phrase en latin* qui signifie « plus vite, plus haut, plus fort ». C'est évident, non ?

Un drapeau bien pensé

Quand on pense aux Jeux olympiques, on y associe rapidement des symboles : la flamme et le drapeau sont les plus connus.

La bannière olympique a été conçue par M. de Coubertin lui-même. Elle est formée de cinq anneaux colorés (bleu, noir, rouge, jaune et vert) entrelacés sur un fond blanc. Vous avez peut-être déjà entendu dire que ces anneaux représentaient les différents continents ? Eh bien, c'est en partie vrai. De fait, il y en a cinq pour symboliser l'Afrique, l'Amérique, l'Europe, l'Asie et l'Océanie. Ces couleurs précises (en comptant le blanc) ont par ailleurs été choisies pour que la majorité des pays retrouvent au moins une couleur de leur emblème national dans le drapeau olympique.

On ne pourrait conclure sans parler de la flamme olympique. Comme le veut la tradition, on l'allume grâce à l'énergie du soleil, puis les athlètes de différents pays se relaient pour la faire voyager partout sur la planète. Ce feu lumineux qui passe annonce aux gens que les Jeux olympiques auront bientôt lieu. La flamme est aussi un message de paix et de fraternité entre les peuples, et invite tout le monde à se rassembler pour célébrer le sport. Courez à votre fenêtre : peut-être la verrez-vous passer !

* Latin : langue qu'on parlait dans l'Empire romain.

AH, LA VIE... D'ATHLÈTE !

17

Les athlètes doivent utiliser de très bons ciseaux pour que leurs muscles soient aussi bien découpés...

Zut !

Je ne pourrai jamais devenir un athlète olympique.

Pas parce que je ne suis pas assez habile...

... mais plutôt parce que je ne serais jamais capable de suivre un régime en permanence !

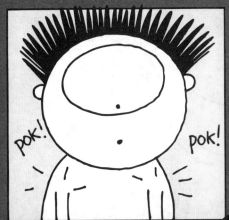

23

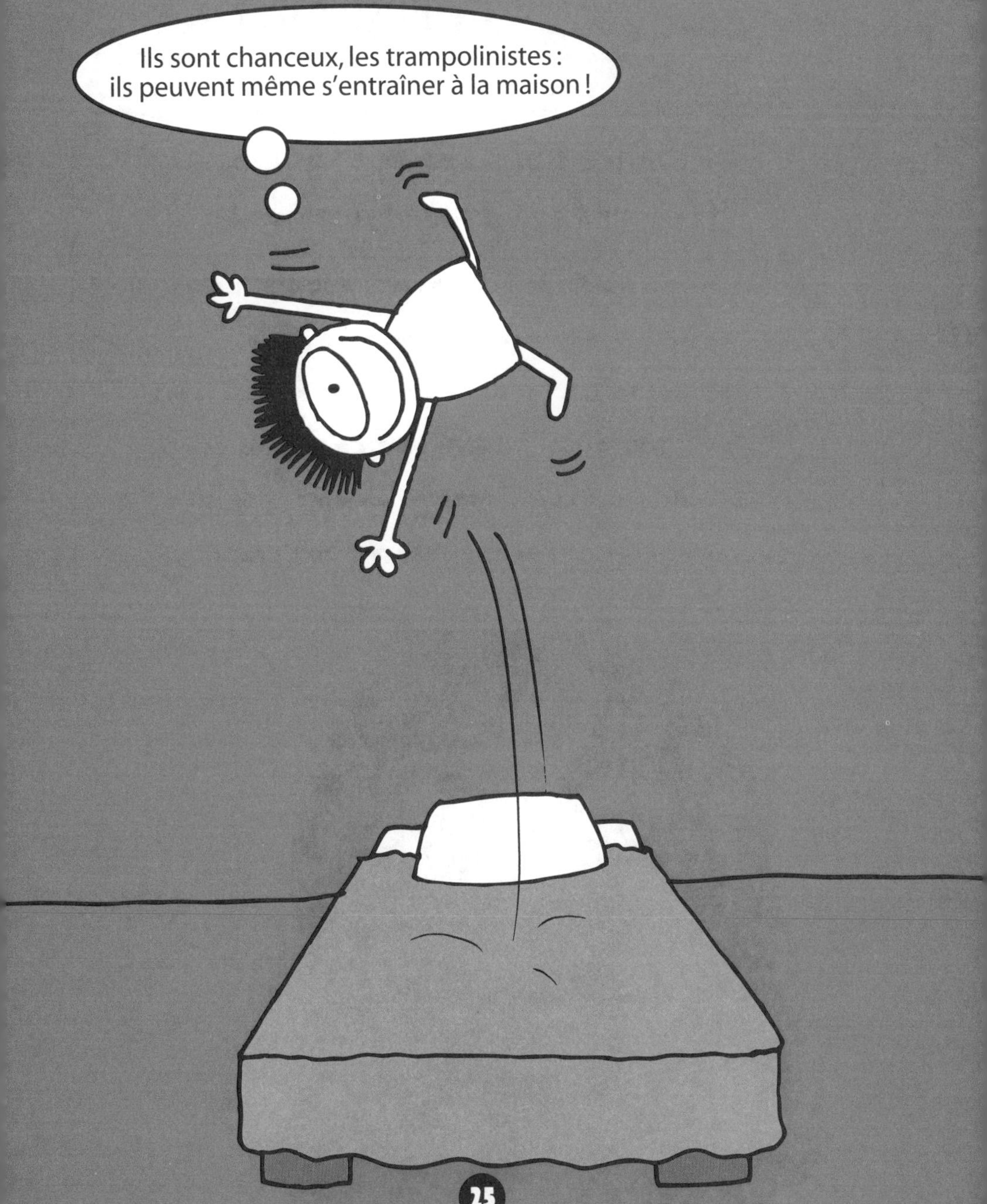
Ils sont chanceux, les trampolinistes : ils peuvent même s'entraîner à la maison !

Saviez-vous ça ?

Le français est une des langues officielles des Jeux olympiques.

Le français a même priorité sur l'anglais durant cette compétition. Pendant les Jeux, on présente toujours les athlètes et les résultats en trois langues : en français, en anglais et dans la langue du pays hôte — à moins, bien sûr, que cette dernière soit le français ou l'anglais...

ESPOIRS OLYMPIQUES

Découvrez huit athlètes de chez nous!

Fiche personnelle

Émilie Heymans

LA QUESTION DE LÉON :

Est-ce que tu as parfois peur de te frapper la tête sur le tremplin ?

Non, surtout pas ! C'est généralement lorsque tu commences à avoir peur que les accidents surviennent.

Discipline :
plongeon

Date de naissance :
14 décembre 1981

Lieu de résidence :
Greenfield Park, Québec

Nombre d'heures d'entraînement par semaine : 25

Meilleur résultat / marque personnelle :
médaillée d'or (10 m) aux Championnats du monde de Barcelone, en 2003 ; médaillée d'argent (10 m synchro) aux Jeux olympiques de Sydney, en 2000

Pourquoi as-tu commencé à pratiquer le plongeon ?
Quand j'étais enfant, je faisais de la gymnastique, mais j'étais trop grande pour exceller dans ce sport ; mes entraîneurs m'ont alors conseillé d'essayer le plongeon.

Quel âge avais-tu à l'époque ?
J'avais 11 ans.

Qu'est-ce que tu aimes le plus dans cette discipline ?
Je trouve que le plongeon offre une belle combinaison de force et de grâce. C'est un sport qui est très beau à regarder, mais qui nécessite une force physique incroyable !

À quoi penses-tu avant une grosse compétition ?
Je me dis toujours que je vais effectuer la meilleure performance de ma vie.

Où as-tu le plus mal après une compétition ou un entraînement ?
Aux épaules.

Qu'est-ce que tu fais pour te récompenser après une bonne performance ?
Je mange une tablette de chocolat !

Quel est ton but ultime en pratiquant ce sport ?
Toujours offrir le meilleur de moi-même et améliorer constamment mes performances.

Quel est le plus gros sacrifice que tu aies dû faire pour ta carrière ?
Je dois continuellement être au régime, et ce n'est pas facile de toujours bien manger !

Est-ce que tu as déjà pensé tout arrêter ? Si oui, qu'est-ce qui t'a fait changer d'idée ?
Non, jamais !

Qu'est-ce que tu comptes faire après ta carrière en plongeon ?
J'aimerais travailler dans le milieu de la mode ou dans les communications reliées à la mode (devenir chroniqueuse, par exemple).

Fiche personnelle

Nicolas Macrozonaris

Discipline :
athlétisme – 100 m
Date de naissance :
22 août 1980
Lieu de résidence :
Laval, Québec
Nombre d'heures d'entraînement
par semaine : **30**
Meilleur résultat / marque personnelle :
10,03 secondes au 100 m

LA QUESTION DE LÉON :

Combien de paires d'espadrilles uses-tu dans une année ?

Je peux porter les mêmes souliers à l'entraînement pendant des mois ! Pour la compétition, il faut des souliers à crampons, que je change tous les trois mois environ ; ils ne me servent que pour les courses.

Pourquoi as-tu commencé à pratiquer l'athlétisme ?
Pendant les Jeux olympiques d'Atlanta, en 1996, j'ai regardé, avec ma mère, la finale du 100 m, qui a été gagnée par un Canadien, Donovan Bailey. Ma mère était très heureuse de voir quelqu'un de chez nous remporter la course. Comme je savais que je courais relativement vite, j'ai commencé à penser que je pourrais peut-être m'entraîner de façon plus sérieuse. Ce qui est très ironique, c'est que je suis devenu membre de l'équipe canadienne dont faisait partie mon idole (Donovan Bailey) à peine quatre ans plus tard ! Quand j'y pense aujourd'hui, je me rends compte à quel point je suis chanceux...

Quel âge avais-tu quand tu as fait tes débuts comme sprinteur ?
J'avais 17 ans.

Qu'est-ce que tu aimes le plus dans cette discipline?

Premièrement, c'est un sport très prestigieux, et je suis fier de le pratiquer! De plus, c'est une discipline qui me permet d'expérimenter beaucoup de choses et qui me permet de voyager, ce qui est très plaisant.

À quoi penses-tu avant une grosse compétition?

J'essaie toujours de me dire que je suis là pour m'amuser, pour donner le meilleur de moi-même, pour offrir une bonne performance à mon coach, aux gens qui m'aiment.

Où as-tu le plus mal après une course ou un entraînement?

Après une compétition, je n'ai mal nulle part parce que ça dure seulement 10 secondes. Après l'entraînement, par contre, j'ai mal au dos, aux jambes, aux trapèzes et aux poignets: j'ai mal partout, finalement!

Qu'est-ce que tu fais pour te récompenser après une bonne performance?

Je sors avec mes amis!

Quel est ton but ultime en pratiquant ce sport?

Les médailles ne sont pas ce qu'il y a de plus important pour moi. J'ai réussi à avoir de bons résultats, mais, personnellement, si je pratique ce sport, c'est parce que j'adore ça!

Quel est le plus gros sacrifice que tu aies dû faire pour ta carrière?

Ma vie sociale. Je ne sors pratiquement jamais avec mes amis. Mais ça fait longtemps que je vis comme ça et je pense que, dans la vie, il faut parfois faire des sacrifices pour obtenir ce qu'on veut!

Est-ce que tu as déjà pensé tout arrêter? Si oui, qu'est-ce qui t'a fait changer d'idée?

Oui. C'est normal d'être parfois découragé, c'est tout à fait humain. Il faut passer au travers et se retrousser les manches pour les journées à venir!

Qu'est-ce que tu comptes faire après ta carrière en athlétisme?

Je pense que j'aimerais aider les gens à rester en forme, à trouver des moyens pour performer.

Fiche personnelle

Marie-Pier Boudreau-Gagnon

Discipline :
nage synchronisée (duo, équipe)
Date de naissance :
3 mars 1983
Lieu de résidence :
Montréal, Québec
Nombre d'heures d'entraînement
par semaine : de 40 à 42
Meilleur résultat / marque personnelle :
double médaillée d'or aux Jeux du
Commonwealth 2006 (solo, duo)

LA QUESTION DE LÉON :

Est-ce que ça t'arrive souvent de t'étouffer (de « prendre des bouillons ») lorsque tu es sous l'eau ?

Oui, quand même assez souvent. J'ai l'habitude de nager la bouche ouverte, donc j'avale régulièrement une petite gorgée !

Pourquoi as-tu commencé à pratiquer la nage synchronisée ?

Quand j'étais jeune, mes parents nous obligeaient, mes sœurs et moi, à pratiquer un sport. Comme je n'excellais vraiment pas dans les sports terrestres, je me suis dirigée vers la nage. Ensuite, le fait de voir la performance de Sylvie Fréchette aux Olympiques de 1992 m'a donné le goût de me lancer dans la nage synchronisée.

Quel âge avais-tu à l'époque ?

J'avais sept ans.

Qu'est-ce que tu aimes le plus dans cette discipline?

Le mélange de l'aspect artistique et de l'aspect technique. La nage synchronisée est un sport très physique, mais dans lequel on retrouve une partie plus créative, par exemple des chorégraphies, des mouvements, etc.

À quoi penses-tu avant une grosse compétition?

Je m'encourage en me disant que mes entraînements précédents ont très bien été et que, par conséquent, je suis prête!

Où as-tu le plus mal après une compétition ou un entraînement?

Après un entraînement, ce sont plutôt mes bras qui sont fatigués. À la suite d'une compétition, je sens plus de fatigue dans mes jambes.

Qu'est-ce que tu fais pour te récompenser après une bonne performance?

Normalement, j'en profite pour aller souper avec des amis et... dormir!

Quel est ton but ultime en pratiquant ce sport?

C'était de me rendre aux Jeux olympiques, donc j'y suis arrivée! Maintenant, pour les Jeux de Pékin, je vise une performance parfaite, à la hauteur de mes capacités, évidemment!

Quel est le plus gros sacrifice que tu aies dû faire pour ta carrière?

Quitter ma famille: j'ai dû partir de la maison familiale de Rivière-du-Loup à l'âge de 13 ans pour aller m'entraîner à Québec. Je suis ensuite allée vivre à Montréal à 14 ans.

Est-ce que tu as déjà pensé tout arrêter? Si oui, qu'est-ce qui t'a fait changer d'idée?

Oui, en 2004, j'ai failli tout abandonner lorsque je n'ai pas réussi à me qualifier pour faire partie de l'équipe olympique. Mais un autre athlète (qui fait du patinage de vitesse) m'a convaincue de persévérer et, aujourd'hui, je ne regrette pas ma décision!

Qu'est-ce que tu comptes faire après ta carrière en nage synchronisée?

Retourner aux études à temps plein! Je termine présentement un baccalauréat en administration et j'aimerais me diriger vers un volet plus international, le droit ou le commerce.

Fiche
personnelle

Mathieu Bois

LA QUESTION DE LÉON :

Est-ce que ça te gêne de te montrer en maillot devant autant de personnes ?

Non, et je suis très fier de leur montrer que je n'ai pas peur !

Discipline :
natation
Date de naissance :
6 juillet 1988
Lieu de résidence :
Montréal, Québec
Nombre d'heures d'entraînement par semaine : 35
Meilleur résultat / marque personnelle :
médaillé de bronze au 200 m brasse aux Jeux panaméricains 2007

Pourquoi as-tu commencé à pratiquer la natation ?
J'ai commencé à pratiquer ce sport parce qu'il me permettait de repousser mes limites, mais surtout de m'amuser !

Quel âge avais-tu à l'époque ?
J'avais 8 ans.

Qu'est-ce que tu aimes le plus dans cette discipline?

J'adore les camps d'entraînement et les compétitions à l'extérieur du pays. J'aime également le sentiment que j'éprouve lorsque je performe bien.

À quoi penses-tu avant une grosse compétition?

Je me dis que je suis prêt : « *let's do it* », comme on dit en anglais!

Où as-tu le plus mal après une compétition ou un entraînement?

Partout! C'est comme si mon corps voulait se déchirer en deux. Mais je peux dire que les pectoraux, les biceps et les dorsaux sont les muscles qui me font le plus souffrir.

Qu'est-ce que tu fais pour te récompenser après une bonne performance?

Je joue à mes jeux vidéo préférés.

Quel est ton but ultime en pratiquant ce sport?

Gagner des médailles sur la scène internationale.

Quel est le plus gros sacrifice que tu aies dû faire pour ta carrière?

Arrêter de voir mes amis autant que je le voulais. Je dois suivre un horaire très strict avec les entraînements et les compétitions.

Est-ce que tu as déjà pensé tout arrêter? Si oui, qu'est-ce qui t'a fait changer d'idée?

Oui, mais le sport constitue une partie de ma vie qui me pousse à l'excellence, et je crois qu'avec le travail que j'y mets, je pourrai atteindre mes objectifs.

Qu'est-ce que tu comptes faire après ta carrière en natation?

Je ne sais pas encore... Pompier? Administrateur? On verra!

Fiche personnelle

Noémie Marin

Discipline :
softball
Date de naissance :
5 avril 1984
Lieu de résidence :
Acton Vale, Québec
Nombre d'heures d'entraînement par semaine : 40
Meilleur résultat / marque personnelle :
médaillée d'or au Championnat mondial universitaire 2007, en Thaïlande

LA QUESTION DE LÉON :

Tu pratiques deux sports au niveau international, le hockey et la softball ; lequel préfères-tu ?

Question très difficile... Je les adore tous les deux, mais j'ai un petit penchant pour le hockey. Ma famille a toujours été une grande fan de ce sport. J'aime beaucoup le challenge que me procure la softball, car elle est difficile à pratiquer, mais je pense que le hockey correspond un peu plus à ma personnalité, étant donné que, lorsqu'on est sur la glace, on doit constamment bouger. La softball est un sport un peu plus lent. Je répondrais donc le hockey !

Pourquoi as-tu commencé à pratiquer la softball ?
J'aime bien bouger. Lorsque j'étais plus jeune, j'allais tout le temps jouer dehors avec mes frères, qui sont plus vieux que moi. Lorsque l'occasion s'est présentée, j'ai voulu faire partie d'une équipe avec des personnes de mon âge.

Quel âge avais-tu à l'époque ?
J'avais 13 ans.

Qu'est-ce que tu aimes le plus dans cette discipline ?

Ce n'est pas un sport facile. La softball demande beaucoup de pratique et de précision. J'aime bien avoir la possibilité de toujours m'améliorer dans un sport qui est difficile techniquement.

À quoi penses-tu avant une grosse compétition ?

Je fais souvent de la visualisation positive. Je me dis que je suis capable, que je peux aider mon équipe à gagner.

Où as-tu le plus mal après un match ou un entraînement ?

Au bras droit, car c'est avec celui-là que je lance. Je ne suis pas lanceuse, mais je dois quand même lancer souvent durant les pratiques et les parties.

Qu'est-ce que tu fais pour te récompenser après une bonne performance ?

Je me gâte en mangeant des aliments que j'aime, mais que je me permets rarement, comme de la crème glacée ou un biscuit au chocolat.

Quel est ton but ultime en pratiquant ce sport ?

Atteindre la plus haute marche du podium olympique ! Je vivrai cette année mes premiers véritables Jeux olympiques ; j'étais substitut aux derniers, à Athènes, et je n'ai pas eu la chance de jouer.

Quel est le plus gros sacrifice que tu aies dû faire pour ta carrière ?

Être séparée de ma famille. Je suis souvent à l'étranger pour l'entraînement ou les compétitions. Parfois, je trouve cela très difficile d'être loin de ceux que j'aime.

Est-ce que tu as déjà pensé tout arrêter ? Si oui, qu'est-ce qui t'a fait changer d'idée ?

Oui, mais c'est ma passion pour le sport et mon désir de compétitionner qui m'ont fait continuer. Je ne suis pas capable de vivre sans cela !

Qu'est-ce que tu comptes faire après ta carrière d'athlète ?

J'aimerais devenir entraîneuse ou exercer un métier connexe au monde du sport. Comme je joue également au hockey, je compte bien essayer de faire partie de l'équipe nationale canadienne en vue des Jeux olympiques d'hiver de Vancouver.

Fiche personnelle

Douglas Vandor

Discipline :
aviron
Date de naissance :
25 août 1974
Lieu de résidence :
Victoria, Colombie-Britannique
Nombre d'heures d'entraînement
par semaine : **de 25 à 30**
Meilleur résultat / marque personnelle :
médaillé d'or en Coupe du monde 2002 à Lucerne (Suisse); médaillé de bronze aux Championnats du monde de 2005, à Gifu (Japon)

LA QUESTION DE LÉON :

Est-ce que ça arrive que tu tombes de ton embarcation et que tu te retrouves à l'eau ?
Oui… ça m'est malheureusement arrivé à quelques reprises dans ma carrière !

Pourquoi as-tu commencé à pratiquer l'aviron ?
J'ai toujours été sportif : plus jeune, j'ai joué au hockey, au football, au basketball. J'ai également fait du patinage de vitesse ainsi que de la course à pied sur de longues distances. Lorsque j'ai commencé l'université, j'ai voulu m'impliquer dans un sport d'équipe ; c'est à ce moment-là que j'ai choisi l'aviron. Il faut dire aussi que j'avais vraiment le goût de porter la veste ornée de l'inscription McGill Crew*!

Quel âge avais-tu à tes débuts en aviron ?
J'avais 22 ans.

*Équipage

Qu'est-ce que tu aimes le plus dans cette discipline ?

Lorsque je m'entraîne, j'aime me retrouver seul sur l'eau, entouré par la nature. Ici, en Colombie-Britannique, il nous arrive de voir des aigles voler au-dessus de nous durant nos entraînements. C'est magnifique, presque magique !

À quoi penses-tu avant une grosse compétition ?

Je me dis que j'ai travaillé fort pour me rendre jusque-là, plus fort que toutes les autres personnes qui sont sur la ligne de départ ! C'est le temps de m'amuser. Je prends une grande inspiration, je relâche mes muscles et j'essaie d'apprécier le moment.

Où as-tu le plus mal après une compétition ou un entraînement ?

Aux jambes et aux poumons.

Qu'est-ce que tu fais pour te récompenser après une bonne performance ?

Je m'assois autour d'un bon repas avec mes amis et ma famille.

Quel est ton but ultime en pratiquant ce sport ?

J'ai déjà à mon actif des médailles de Coupe du monde et de Championnats du monde... mais pas encore de médailles olympiques ! J'aimerais bien en gagner une avant de prendre ma retraite.

Quel est le plus gros sacrifice que tu aies dû faire pour ta carrière ?

Je ne considère pas que je m'impose des sacrifices. C'est un choix de vie que j'ai fait consciemment, un peu comme quelqu'un qui décide d'étudier dans un programme exigeant comme la médecine ou encore de joindre les forces armées.

Est-ce que tu as déjà pensé tout arrêter ? Si oui, qu'est-ce qui t'a fait changer d'idée ?

Tout le monde a de bonnes et de mauvaises journées ! C'est normal, c'est la vie. Quand j'en ai de mauvaises, je me concentre sur ce que j'aime de ce sport, sur ma passion, et je me dis que j'ai le pouvoir de faire en sorte que demain tout se passe mieux !

Qu'est-ce que tu comptes faire après ta carrière en aviron ?

J'aime écrire. J'ai déjà écrit quatre livres pour enfants et je cherche présentement une maison d'édition.

Fiche personnelle

Marie-Hélène Prémont

Discipline:
vélo de montagne
Date de naissance:
24 octobre 1977
Lieu de résidence:
Pierrefonds, Québec
Nombre d'heures d'entraînement
par semaine: de 15 à 20
Meilleur résultat / marque
personnelle:
médaillée d'argent aux
Jeux olympiques d'Athènes, en 2004

LA QUESTION DE LÉON:

À quoi peut-on comparer la vitesse à laquelle tu descends?

En fait, ma vitesse dépend toujours des difficultés du parcours, c'est donc difficile de la comparer à quoi que ce soit. En vélo de montagne, plus il y a d'obstacles, par exemple des racines ou des roches, moins nous allons vite.

Pourquoi as-tu commencé à pratiquer le vélo de montagne?
J'ai été bénévole plus jeune pour la Coupe du monde au mont Sainte-Anne et, lorsque j'ai vu les athlètes compétitionner, ça m'a donné le goût d'essayer. J'avais également beaucoup de proches qui pratiquaient ce sport, dont mon chum et ma sœur.

Quel âge avais-tu à l'époque?
J'avais 17 ans.

Qu'est-ce que tu aimes le plus dans ce sport ?

J'aime beaucoup devoir courser sur des parcours qui sont très techniques et difficiles physiquement. Je trouve que c'est un beau défi et ça me motive.

À quoi penses-tu avant une grosse compétition ?

Je me dis que je vais donner le meilleur de moi-même, que je me suis bien entraînée. Le but est toujours de donner le maximum de soi ; si j'ai le sentiment de l'avoir fait, je suis satisfaite. Juste avant de courser, je me rappelle aussi que je suis là pour m'amuser.

Où as-tu le plus mal après une course ou un entraînement ?

J'ai souvent mal à la tête le soir après une compétition. C'est surtout causé par la déshydratation ; comme c'est un exercice physique très demandant, même si je bois beaucoup d'eau, j'ai encore quelques douleurs.

Qu'est-ce que tu fais pour te récompenser après une bonne performance ?

Je prends un bon repas avec ma famille et mes amis.

Quel est ton but ultime en pratiquant ce sport ?

Toujours donner le maximum ! La médaille n'a pas vraiment d'importance si je sais que j'ai tout donné.

Quel est le plus gros sacrifice que tu aies dû faire pour ta carrière ?

À 30 ans, à cause de mon horaire de compétition très chargé, je n'ai toujours pas d'enfant. Je commence à avoir très hâte !

Est-ce que tu as déjà pensé tout arrêter ? Si oui, qu'est-ce qui t'a fait changer d'idée ?

Oui, ça m'est arrivé. Mais ma passion pour le vélo de montagne et mes bonnes performances m'ont donné le goût de continuer.

Qu'est-ce que tu comptes faire après ta carrière d'athlète ?

Je vais être pharmacienne.

Fiche personnelle

Nathaniel Miller

LA QUESTION DE LÉON :

Reçois-tu souvent le ballon sur la tête ?

Non, une chance ! Une fois, pour moi, c'est déjà trop... Je ne comprendrai jamais comment font les gardiens de but !

Discipline :
water-polo

Date de naissance :
21 septembre 1979

Lieu de résidence :
Budva (Monténégro) et Calgary (Canada)

Nombre d'heures d'entraînement par semaine : de 25 à 35

Meilleur résultat / marque personnelle :
trois fois médaillé de bronze aux Jeux panaméricains (Winnipeg 1999, Santo Domingo 2003, Rio de Janeiro 2007)

Pourquoi as-tu commencé à jouer au water-polo ?
J'ai commencé à pratiquer le water-polo parce que c'était un sport très populaire à la piscine publique que je fréquentais tous les étés (à Pointe-Claire). J'ai vu jouer les plus vieux et j'ai voulu faire comme eux !

Quel âge avais-tu à l'époque ?
J'avais 12 ans.

Qu'est-ce que tu aimes le plus dans cette discipline ?

J'aime ce sport, parce qu'on doit jouer avec beaucoup d'intensité et d'émotion. C'est un jeu très demandant qui nécessite beaucoup d'entraînement autant physique que psychologique.

Où as-tu le plus mal après un match ou un entraînement ?

C'est difficile à dire. Ce que je sais, c'est qu'après un match intense, j'ai l'impression d'avoir eu un gros accident de voiture, puisque chaque centimètre carré de mon corps est douloureux.

Qu'est-ce que tu fais pour te récompenser après une bonne performance ?

Lorsque je suis au Monténégro, je m'offre un *palacinke sa sumsko voce*, un dessert de crêpes très populaire dans la région. Je suis un grand gourmand !

Quel est ton but ultime en pratiquant ce sport ?

Au mois de février dernier, mon objectif était de me qualifier pour les Jeux olympiques. Rêve accompli ! Mais depuis, j'ai réalisé que, si je m'entraîne aussi fort, c'est beaucoup plus pour donner le meilleur de moi-même que pour accumuler les médailles.

Quel est le plus gros sacrifice que tu aies dû faire pour ta carrière ?

À 18 ans, j'ai dû partir de Montréal pour aller m'entraîner avec l'équipe nationale à Calgary. Ce fut très difficile de laisser ma famille et mes amis. De plus, cette année, j'ai dû aller en Europe pour poursuivre un entraînement très rigoureux. Cette fois-ci, c'est de mon amoureuse que j'ai dû me séparer... C'est probablement le plus gros sacrifice que j'ai fait jusqu'à maintenant !

Est-ce que tu as déjà pensé tout arrêter ? Si oui, qu'est-ce qui t'a fait changer d'idée ?

Oui. Quand l'équipe n'a pas réussi à se qualifier pour les Jeux d'Athènes en 2004, j'ai pensé à la retraite même si je n'avais que 24 ans. Un nouvel entraîneur m'a convaincu de continuer en me disant que je pourrais devenir encore un meilleur athlète. Et maintenant, je m'en vais aux Jeux olympiques avec mon équipe ! J'ai pris la bonne décision.

Qu'est-ce que tu comptes faire après ta carrière d'athlète ?

Premièrement, j'ai l'intention de me reposer ! Cela fait maintenant plus de 12 ans que je m'entraîne deux fois par jour, cinq ou six fois par semaine. Par ailleurs, j'ai fait des études universitaires et j'aimerais travailler dans l'administration sportive et aussi m'impliquer dans le monde du water-polo en devenant entraîneur.

AUTOUR D'UN

Entraîneur : supervise ses entraînements et analyse ses performances. C'est souvent la personne qui est la plus proche de lui.

Gestionnaire d'équipe ou gérant : s'occupe de gérer tout ce qui se passe avant, pendant et après les compétitions, comme les horaires, les déplacements, les entrevues, les contrats publicitaires, etc.

Physiothérapeute : traite principalement les blessures musculaires pour qu'elles guérissent le plus rapidement possible.

Coach de musculation :
prépare un programme pour l'aider à développer ses muscles afin qu'il garde une bonne forme physique.

Famille et amis : sont là pour l'encourager, pour le soutenir dans les moments plus difficiles et aussi pour lui permettre, de temps en temps, de se changer un peu les idées ! Il ne faut surtout pas les oublier !

Nutritionniste : le conseille quant à sa façon de se nourrir... et lui suggère fortement de laisser tomber la poutine !

ATHLÈTE !

Psychologue: l'aide, en discutant avec lui, à combattre les mauvais effets du stress, à se concentrer et à maîtriser ses émotions.

Coéquipiers: sont essentiels à sa réussite; il s'agit, pour lui, d'une deuxième famille! Ça lui fait beaucoup de frères et sœurs...

Massothérapeute: est un très bon ami, car c'est lui qui le soulage après de grosses séances d'entraînement en le massant!

Médecin d'équipe: le suit dans toutes ses compétitions, au cas où une blessure grave surviendrait, afin de pouvoir intervenir le plus vite possible.

Commanditaires: l'aident à subvenir à ses besoins en lui donnant des sous. C'est la raison pour laquelle nos champions apparaissent parfois dans des publicités ou affichent des logos sur leurs vêtements.

SECRETS ET ANECDOTES DE NOS ATHLÈTES

CHUT ! Soyez discrets !

46

« Lorsque j'étais toute petite (trois ou quatre ans), je n'ai pas réussi mon cours d'acclimatation à l'eau (cours qui se donne avant l'étape des écussons). Comme quoi il ne faut jamais lâcher ! »

**Marie-Pier Boudreau-Gagnon
(nage synchronisée)**

« Lorsque j'étais en Australie, j'avais quelquefois des entraînements dans la mer. Mes coéquipiers australiens avaient l'habitude de ce type d'exercice, mais pour moi, c'était nouveau, et j'avais peur des requins. Une fois, un de mes coéquipiers a nagé en dessous de moi et m'a tiré la jambe. J'ai eu la peur de ma vie sur le moment, mais après quelques minutes, j'ai bien rigolé avec mes amis. »

**Jean Sayegh
(water-polo)**

« Vers l'âge de 13 ans, je m'entraînais avec mon amie Marie-Ève, qui me ressemblait beaucoup ! Mon entraîneur de l'époque avait du mal à nous différencier. Son seul repère, c'était nos maillots ! Lorsqu'il était de mauvaise humeur et qu'il s'acharnait sur l'une de nous deux, parfois, nous échangions nos maillots pour qu'il nous confonde ! »

Émilie Heymans (plongeon)

Kathy Tremblay (triathlon)

« L'an dernier, aux Jeux panaméricains, il m'est arrivé toute une aventure ! À l'étape de la course à pied, j'ai mis mes souliers et je suis partie comme une bombe, mais j'ai senti qu'il y avait un truc dans ma chaussure. J'ai essayé d'endurer, mais c'était vraiment dérangeant ! J'ai dû arrêter pour ôter l'objet qui m'embêtait... C'était ma médaille du Championnat canadien, que j'avais rangée dans mon soulier et oubliée là ! J'étais tellement gênée... »

« Nous devons nous mettre de la gélatine sur la tête avant chaque compétition pour nous assurer que tous nos cheveux resteront en place. Ça fait une croûte et c'est vraiment dégueulasse ! Quand vient le temps d'enlever tout ça, ça ne veut jamais partir. Il faut prendre une douche tellement chaude que nous pouvons seulement mettre notre tête sous l'eau, sinon, nous nous brûlons la peau ! »

Marie-Pierre Gagné (nage synchronisée)

Maryse Turcotte (haltérophilie)

« Aux Jeux olympiques d'Athènes (2004), je me suis échappé une pince à épiler dans un œil et j'ai dû faire mes entraînements en portant un cache-œil toute la semaine avant ma compétition. De plus, je n'ai pas pu porter mes lentilles pour la compétition, car mon œil était égratigné. J'ai dû mettre mes lunettes, ce qui n'est vraiment pas l'idéal ! »

Énigme

Que suis-je ?

Quel sport olympique
porte un nom qu'on
peut lire aussi bien
à l'envers qu'à l'endroit ?

Pensez-y bien, vous trouverez...

Réponse à la page 196

L'EN-CYCLOPE-ÉDIE

LA CHINE

LA CHINE

Population : environ 1,3 milliard d'habitants
Capitale : Pékin (Beijing)
Superficie : 9 634 057 km²
Langue officielle : le mandarin
Monnaie : le yuan

La Chine est un pays de l'Asie orientale qui est composé officiellement de 23 provinces. C'est dans sa capitale, Pékin, située au nord-est, qu'auront lieu les 29e Jeux olympiques. Il s'agit du pays le plus populeux du monde. Il compte plus de 1 300 000 000 habitants, ce qui équivaut à environ 43 fois la population du Canada ! Trouveront-ils suffisamment de place pour accueillir tous les athlètes ? Mais oui, puisqu'en termes de superficie, la Chine est le troisième plus grand pays de la Terre, après le nôtre, le Canada, et la Russie.

La langue

L'expression «c'est du chinois!», qu'on entend souvent, vient du fait que les langues parlées en Asie sont très différentes des langues occidentales, car elles ne s'écrivent pas avec des mots composés de lettres, mais bien avec des symboles qu'on appelle les sinogrammes. Chacun d'eux représente une expression, une idée particulière, et, lorsqu'ils sont juxtaposés*, un nouveau sens est formé. Il existe plus de 50 000 sinogrammes différents; nous sommes loin des 26 lettres de notre alphabet! En Chine, plus de sept langues sont utilisées couramment. La principale est le mandarin; c'est la langue maternelle d'environ 800 millions de personnes.

* Juxtaposés : mis un à côté de l'autre.

La religion

De nombreuses religions coexistent* en Chine. La plus pratiquée est le bouddhisme, une religion qui a vu le jour 600 ans avant Jésus-Christ. Née en Inde, elle s'est vite propagée dans l'ensemble de l'Asie. Il s'agit en fait plutôt d'une philosophie de vie, d'une manière de penser, que d'une religion traditionnelle. Son fondateur est le Bouddha, souvent représenté par une petite statuette. Une des pratiques les plus importantes associées au bouddhisme est la méditation : cela consiste à se concentrer, à réfléchir intensément à un sujet précis dans le but de trouver la paix intérieure.

* Coexister : exister en même temps, cohabiter ensemble.

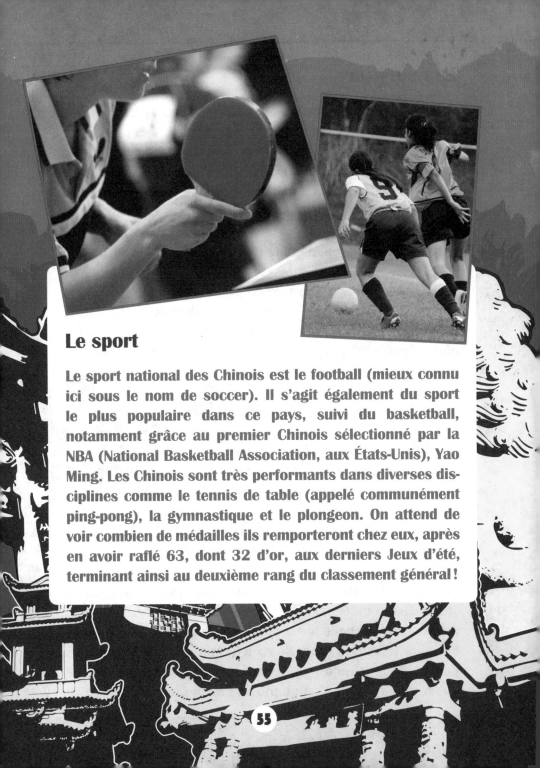

Le sport

Le sport national des Chinois est le football (mieux connu ici sous le nom de soccer). Il s'agit également du sport le plus populaire dans ce pays, suivi du basketball, notamment grâce au premier Chinois sélectionné par la NBA (National Basketball Association, aux États-Unis), Yao Ming. Les Chinois sont très performants dans diverses disciplines comme le tennis de table (appelé communément ping-pong), la gymnastique et le plongeon. On attend de voir combien de médailles ils remporteront chez eux, après en avoir raflé 63, dont 32 d'or, aux derniers Jeux d'été, terminant ainsi au deuxième rang du classement général !

La nourriture

On est bien loin du buffet chinois tel qu'on le trouve chez nous! La cuisine chinoise est une des plus réputées du monde et c'est sans doute celle qui comprend le plus de variations. Chaque région de ce pays a une cuisine qui lui est propre. On peut répartir ces types de cuisine en quatre familles: celle du Dongbei, la shanghaienne, la sichuanaise et la cantonaise. Selon un vieux dicton, «les Cantonais mangent tout ce qui vole dans le ciel et tout ce qui marche sur la terre.» En effet, la quasi-totalité du règne animal a sa place dans l'alimentation de ce peuple de Chine: insectes, souris, serpents, singes font tous partie du menu... Ça donne envie d'y goûter, non? Le canard laqué de Pékin est un des plats chinois les plus célèbres: parions qu'il s'en mangera beaucoup aux Jeux olympiques... de Pékin!

Les baguettes

Les Chinois mangent à l'aide de baguettes plutôt qu'avec des couteaux et des fourchettes. Ils ne posent jamais de couteau sur la table, car, tout comme la fourchette, cet objet était considéré jadis comme une arme dans leur pays. Les aliments sont donc découpés en cuisine pour qu'on n'ait pas besoin de se servir de ces ustensiles une fois attablé. C'est également la raison pour laquelle le riz chinois est collant: cela permet de saisir plus d'un grain de riz à la fois avec les baguettes! Pas de danger qu'on se fasse taper sur les doigts parce qu'on a mis son couteau dans sa bouche...

Le nouvel an

Le nouvel an, ou encore la fête du printemps, est la célébration la plus importante dans ce pays. Il a lieu le premier jour du premier mois du calendrier chinois. La date varie toujours entre le 21 janvier et le 20 février, selon le calendrier lunaire (sur lequel est basé celui de la Chine). La fête commence par un réveillon (un peu comme le nôtre, sauf qu'on y sert des plats traditionnels chinois) et se poursuit pendant environ deux semaines. Toutes sortes de festivités sont organisées, dont la danse du Lion, la danse des dragons, les offrandes* aux ancêtres et aux dieux, la visite à la famille et aux amis, etc. Tout cela se termine avec la fête des lanternes, pendant laquelle les gens sortent de leur maison pour une promenade nocturne, une lanterne à la main. Ils s'éclatent longtemps, c'est cool !

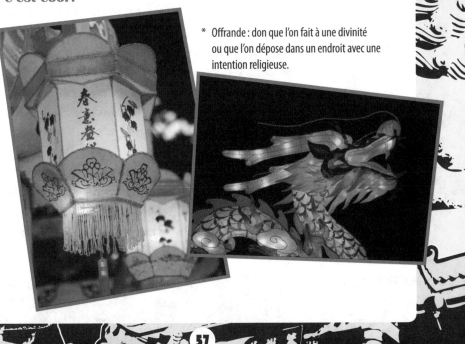

* Offrande : don que l'on fait à une divinité ou que l'on dépose dans un endroit avec une intention religieuse.

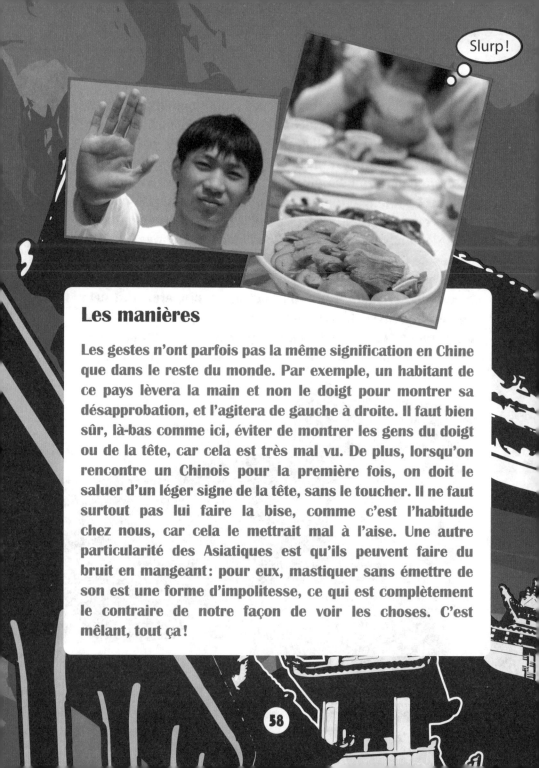

Slurp!

Les manières

Les gestes n'ont parfois pas la même signification en Chine que dans le reste du monde. Par exemple, un habitant de ce pays lèvera la main et non le doigt pour montrer sa désapprobation, et l'agitera de gauche à droite. Il faut bien sûr, là-bas comme ici, éviter de montrer les gens du doigt ou de la tête, car cela est très mal vu. De plus, lorsqu'on rencontre un Chinois pour la première fois, on doit le saluer d'un léger signe de la tête, sans le toucher. Il ne faut surtout pas lui faire la bise, comme c'est l'habitude chez nous, car cela le mettrait mal à l'aise. Une autre particularité des Asiatiques est qu'ils peuvent faire du bruit en mangeant : pour eux, mastiquer sans émettre de son est une forme d'impolitesse, ce qui est complètement le contraire de notre façon de voir les choses. C'est mêlant, tout ça !

La médecine traditionnelle

Les Chinois considèrent le corps humain comme un ensemble de forces et d'humeurs. Selon eux, celles-ci sont influencées par nos cinq organes principaux (le foie, le cœur, les poumons, la rate et les reins), et nos maux seraient dus à leur dérèglement. L'acupuncture, une des méthodes curatives traditionnelles de la Chine, consiste à planter de fines aiguilles (ouch!) dans certains points précis du corps afin de rétablir la circulation de l'énergie et l'harmonie générale, et ainsi de soulager les douleurs. N'essayez pas ça à la maison!

Le thé vert, qui est très populaire en Chine, est également réputé pour ses propriétés thérapeutiques : il contient des antioxydants*, permet de diminuer les risques de maladies cardiovasculaires et réduit le cholestérol, tout en stimulant et en régularisant les battements du cœur. Oublions le jus et les boissons gazeuses, buvons du thé vert!

* Antioxydant : substance qui aide à empêcher le vieillissement des cellules de notre organisme. Les fruits et les légumes en contiennent également, mais 500 ml (ou 2 tasses) de thé vert renferment autant d'antioxydants que 7 verres de jus d'orange frais!

QUE METTENT LES ATHLÈTES DANS LEURS VALISES ?

Voici donc l'ensemble d'objets
jugés indispensables par nos athlètes,
aussi bien les filles que les garçons !
Est-ce que ce sont véritablement les valises
idéales ? Peut-être pas, mais on ne
peut pas dire qu'elles manquent d'originalité !

VALISE des filles

- Ma doudou, pour me sentir chez moi lorsque je suis loin. (Kathy Tremblay, triathlon)

- Au moins 10 pince-nez (Marie-Pierre Gagné, nage synchronisée)

- De la gélatine à gâteau pour nos cheveux (Les deux Marie-P., nage synchronisée)

JELLO

- Les lettres et les cartes de souhaits écrites par mes proches (Noémie Marin, softball)

BONNE FÊTE!

Carnet de voyage

MATHS

- Un ourson, Winnie, dont je ne me sépare jamais. (Krystina Alogbo, water-polo)

- Des livres d'école (Maryse Turcotte, haltérophilie)

- Mon iPod (Émilie Heymans, plongeon)

- Un carnet de voyage (Noémie Marin, softball)

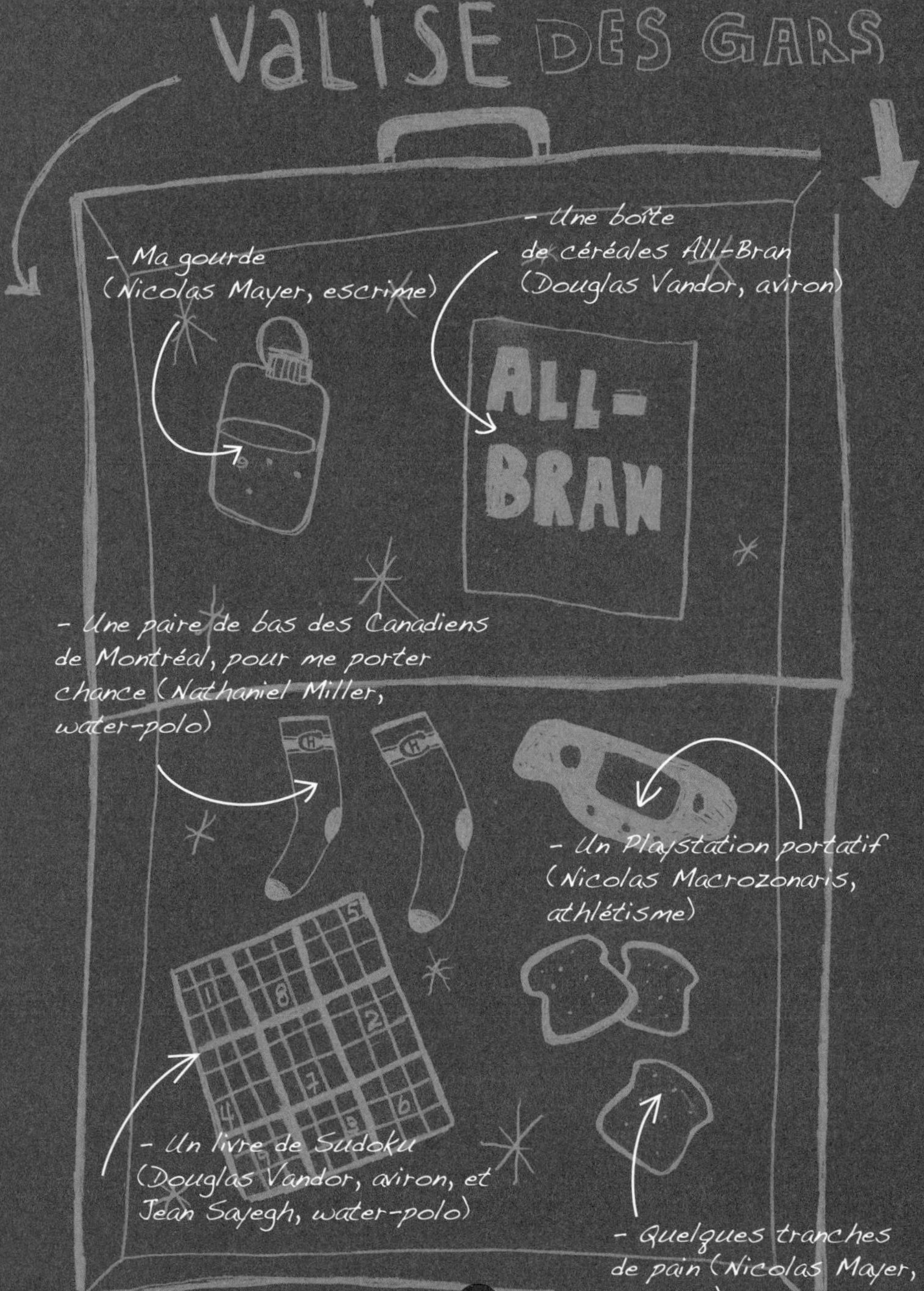

VALISE DES GARS

- Ma gourde
(Nicolas Mayer, escrime)

- Une boîte
de céréales All-Bran
(Douglas Vandor, aviron)

ALL-BRAN

- Une paire de bas des Canadiens
de Montréal, pour me porter
chance (Nathaniel Miller,
water-polo)

- Un Playstation portatif
(Nicolas Macrozonaris,
athlétisme)

- Un livre de Sudoku
(Douglas Vandor, aviron, et
Jean Sayegh, water-polo)

- Quelques tranches
de pain (Nicolas Mayer,
escrime)

pourquoi?

pourquoi?

VOUS VOUS ÊTES PEUT-ÊTRE DÉJÀ POSÉ CES QUESTIONS

Pourquoi les nageurs se rasent-ils tout le corps?

• Peut-être que le chlore des piscines accélère la pousse des poils... Comme ils y passent énormément de temps, s'ils ne se rasaient pas, ils auraient tous l'air de gorilles!

• Peut-être simplement parce qu'ils sont très coquets...

• Peut-être parce qu'ils perdent leurs poils et que ça finirait par bloquer le filtre de la piscine, étant donné le nombre de personnes qui nagent au cours d'une compétition.

• Peut-être parce que c'est plus facile de se sécher, au sortir de la piscine, quand on a le corps entièrement rasé.

• Peut-être parce que les poils des nageurs valent très cher et qu'ils acceptent de les vendre pour financer leurs compétitions.

• Peut-être qu'ils les gardent en réserve pour plus tard, quand ils seront devenus chauves à force de porter un casque de bain 12 heures par jour...

Non, la vraie raison, c'est qu'ils veulent augmenter leur hydrodynamisme, c'est-à-dire la vitesse à laquelle leur corps se déplace dans l'eau. En effet, les poils du corps créent de la résistance et ralentissent la nage des athlètes. Pas beaucoup, bien sûr, mais quand on sait que les résultats du médaillé d'or et du médaillé d'argent ne diffèrent souvent que de quelques dixièmes de seconde, mieux vaut ne pas prendre le risque de nager poilu!

Pourquoi les joueurs de baseball chiquent-ils du tabac?

• Peut-être parce que ça augmente leur production de salive et qu'ainsi les lanceurs peuvent cracher sur la balle pour passer leurs microbes aux joueurs de l'équipe adverse.

• Peut-être parce qu'il vente trop sur un terrain de baseball pour garder une cigarette allumée.

• Peut-être parce que les terrains de baseball étaient, à l'origine, des champs où poussait le tabac et que les joueurs ont pris l'habitude d'en mâcher.

• Peut-être parce qu'en mélangeant le tabac à leur salive, ils créent un engrais qui, une fois qu'ils l'ont craché par terre, sert à entretenir la pelouse.

• Peut-être parce que ça éloigne les moustiques.

• Peut-être parce que ça renforce les dents, si bien que les joueurs en mâchent au cas où ils recevraient la balle dans la figure.

Eh bien non! Apparemment, les joueurs de baseball ont commencé à chiquer du tabac pour garder leur bouche humide sur les terrains secs et ensoleillés où avaient lieu les parties. Pourquoi souhaitaient-ils que leur bouche soit toujours pleine de salive? Entre autres pour pouvoir cracher dans leur gant, afin de s'assurer que celui-ci, bien humidifié, reste flexible! Même qu'à une certaine époque les lanceurs crachaient sur la balle pour lui donner de l'effet! Cependant, on a interdit cette technique en 1920.

Pourquoi les gymnastes se mettent-ils de la poudre blanche dans les mains avant une épreuve?

- Peut-être qu'après avoir été jugés les athlètes ont l'habitude de préparer des tartes pour leur entraîneur. Ils s'enfarinent les mains d'avance pour être prêts plus rapidement, étant donné qu'il n'y a qu'un four dans la cuisine.

- Peut-être que cette poudre est en réalité du sucre à glacer et qu'ils se lèchent les mains avant de commencer leur épreuve pour se donner de l'énergie.

- Peut-être qu'ils veulent s'offrir une sensation de douceur dans les mains avant d'aller les écorcher sur les barres ou sur les anneaux.

- Peut-être que c'est pour impressionner les juges en leur jetant de la poudre aux yeux.

- Peut-être que c'est pour ajouter un degré de difficulté supplémentaire à la compétition, parce que c'est plus dur encore pour les gymnastes de faire leurs acrobaties avec les mains poudrées.

Mais non! Cette poudre blanche, qui est en fait de l'oxyde de magnésium (qu'on appelle aussi «magnésie»), sert à assécher les mains du gymnaste pour empêcher qu'elles ne glissent quand il commence à suer. Les haltérophiles l'utilisent aussi pour éviter que leurs mains glissent sur les haltères.

HOROSCOPE CHINOIS

SAVIEZ-VOUS QU'IL EXISTE UN HOROSCOPE DIFFÉRENT DU NÔTRE EN CHINE? SELON VOTRE ANNÉE DE NAISSANCE, VOUS CORRESPONDEZ À L'UN DES ANIMAUX SUIVANTS. À VOUS DE DÉCOUVRIR LEQUEL!

1990 OU 2002 – VOUS ÊTES CHEVAL !

LE CHEVAL EST DYNAMIQUE ET COURAGEUX. RIEN NE LUI FAIT PEUR, ET IL EST TOUJOURS LE PREMIER À PASSER À L'ACTION. C'EST PEUT-ÊTRE POUR CETTE RAISON QU'IL AIME BIEN LA COMPÉTITION. IL DÉTESTE LE MENSONGE ; N'ALLEZ SURTOUT PAS LUI RACONTER DES SALADES, CAR VOUS PERDREZ SA CONFIANCE... OR, C'EST TOUJOURS BIEN D'AVOIR UN CHEVAL COMME AMI : GRÂCE À SON TEMPÉRAMENT FONCEUR ET À SA PUISSANCE, IL PEUT NOUS TRIMBALER SUR SON DOS ! LE CHEVAL N'A PAS LE TEMPS DE RÊVER ET A TOUJOURS UN PROJET EN TÊTE.

1991 OU 2003 – VOUS ÊTES CHÈVRE !

LA CHÈVRE EST DE NATURE PLUTÔT TIMIDE... ELLE PRÉFÈRE AGIR DE FAÇON DISCRÈTE ET ÊTRE BIEN ENTOURÉE ; C'EST POUR CELA QU'ELLE SE SENT SI À L'AISE DANS UN TROUPEAU. ON PEUT LA QUALIFIER DE COQUETTE, CAR ELLE NE SORT JAMAIS SANS ÊTRE HABILLÉE DE MANIÈRE ÉLÉGANTE. C'EST UN DES SIGNES LES PLUS DOUX ; JAMAIS LA CHÈVRE N'EST AGRESSIVE. CE QUI LUI FAIT LE PLUS PLAISIR DANS LA VIE, C'EST D'AIDER LES AUTRES. C'EST SIMPLE, ELLE N'EST PAS HEUREUSE SI LES GENS AUTOUR D'ELLE NE LE SONT PAS. SON BONHEUR EN DÉPEND. WOW ! QUELLE GÉNÉROSITÉ !

1992 – VOUS ÊTES SINGE !

L'EXPRESSION «AVOIR UNE MÉMOIRE DE SINGE», ÇA VOUS DIT QUELQUE CHOSE ? C'EST QUE LE SINGE RETIENT TOUT GRÂCE À SA GRANDE CURIOSITÉ ET À SA MÉMOIRE PHÉNOMÉNALE. AVEC SON ESPRIT VIF, IL VEUT TOUJOURS EN APPRENDRE DAVANTAGE ET ARRIVE À RÉSOUDRE DES PROBLÈMES TRÈS COMPLIQUÉS. C'EST PEUT-ÊTRE À CAUSE DE TOUTES CES QUALITÉS QU'IL RÉUSSIT À EN SÉDUIRE PLUSIEURS... MAIS ATTENTION ! CHAQUE QUALITÉ A SON REVERS : LE SINGE MANQUERAIT PARFOIS DE PATIENCE, À FORCE DE VOULOIR TOUJOURS TOUT COMPRENDRE... COMME QUOI ON NE PEUT PAS ÊTRE PARFAIT !

1993 - VOUS ÊTES COQ!

QUE PEUT-ON DIRE DU COQ? SOUS LE PLUMAGE
FLAMBOYANT QUI FAIT SA FIERTÉ, IL A DE L'ÉNERGIE
À REVENDRE. RIEN NE PEUT L'ABATTRE! IL N'A AUCUNE
DIFFICULTÉ À EXPRIMER SES OPINIONS ET IL ADORE
DÉFENDRE SES IDÉES. UN PEU ENTÊTÉ, IL CHANGE
RAREMENT D'AVIS, PEU IMPORTE LES ARGUMENTS QU'ON
LUI PRÉSENTE. IL EST PASSIONNÉ PAR LES DÉCOUVERTES ET EST
TOUJOURS EN QUÊTE DE NOUVELLES CONNAISSANCES. PARFOIS, POUR
SE RENDRE PLUS INTÉRESSANT, LE COQ A TENDANCE À EMBELLIR LA
RÉALITÉ ET À SE GONFLER LE TORSE... MAIS PEUT-ON LUI EN VOULOIR?
IL EST SI BEAU À REGARDER ET SI INTÉRESSANT À ÉCOUTER!

1994 - VOUS ÊTES CHIEN!

LE CHIEN EST LE PLUS GRAND DÉFENSEUR DES DROITS
HUMAINS: IL N'ACCEPTE PAS L'INJUSTICE ET LA CRUAUTÉ.
C'EST SÛREMENT POUR CETTE RAISON QU'IL EST
CONSIDÉRÉ COMME LE MEILLEUR AMI DE L'HOMME. IL
CHERCHE TOUJOURS À AIDER CEUX QUI SONT DANS LE
BESOIN. LE CHIEN NE MANQUE PAS D'OPINIONS ET CROIT DUR COMME
FER QU'ON PEUT CHANGER LE MONDE. CERTAINS TROUVENT SA FAÇON
DE VOIR LA VIE UN PEU ÉTRANGE, MAIS COMME IL EST CAPABLE DE BIEN
DÉFENDRE SES IDÉES, IL RÉUSSIT SOUVENT À CONVAINCRE
LES AUTRES QU'IL A RAISON!

1995 - VOUS ÊTES COCHON!

QUI AURAIT PU CROIRE QUE LA PLUS GRANDE QUALITÉ
ATTRIBUÉE À CE SIGNE EST L'INTELLIGENCE? EH BIEN OUI!
LE COCHON EST CONNU POUR SA CURIOSITÉ INSATIABLE,
SON IMAGINATION DÉBORDANTE ET SA VIVACITÉ D'ESPRIT.
POUR LUI, L'AMITIÉ EST TRÈS IMPORTANTE: IL ADORE
S'ENTOURER DE COPAINS AFIN DE MIEUX PROFITER DE LA VIE.
LE COCHON EST UN PEU GOURMAND (ON Y AVAIT PENSÉ...), MAIS
IL EST HONNÊTE ET IL TIENT À AVOIR UNE BONNE RÉPUTATION.
MALHEUREUSEMENT, SA GRANDE GENTILLESSE ET SON MANQUE DE
PRUDENCE L'AMÈNENT PARFOIS À SE FAIRE JOUER DE MAUVAIS TOURS.

1996 – VOUS ÊTES RAT !

CONTRE TOUTE ATTENTE, LE RAT EST UN ÊTRE SÉDUISANT, SYMPATHIQUE ET ÉLÉGANT. UN RAT ÉLÉGANT, ON AURA TOUT VU ! CE QUI LUI IMPORTE LE PLUS EST LA RÉUSSITE, ET IL EST PRÊT À TOUT POUR L'ATTEINDRE. IL EST HONNÊTE ET NE SUPPORTE PAS LES GENS QUI VEULENT LE DUPER. TRÈS PEU Y ARRIVENT DE TOUTE FAÇON, CAR IL EST TRÈS VITE SUR SES PATINS ET NE SE LAISSE PAS FACILEMENT INFLUENCER. LE RAT VISE TOUJOURS LA PERFECTION, CE QUI PEUT PARFOIS L'AMENER À ÊTRE INSUPPORTABLE AVEC SON ENTOURAGE. MAIS BON, SI LE FAIT D'ÊTRE UN PEU FATIGANT LUI PERMET DE RÉUSSIR TOUT CE QU'IL ENTREPREND, ON PEUT LUI PARDONNER CE PETIT DÉFAUT !

1997 – VOUS ÊTES BUFFLE !

DERRIÈRE SA FORCE ET SON ÉLÉGANCE, LE BUFFLE CACHE UNE NATURE PLUTÔT RÉSERVÉE ET TIMIDE. COMME DANS LA NATURE, C'EST UN « LEADER » QUI AIME BIEN DONNER DES ORDRES ET FAIRE RESPECTER LES LOIS. ET DIFFICILE DE NE PAS LUI OBÉIR : IL EST SI IMPOSANT ! LE PLUS IM-PORTANT POUR LE BUFFLE EST D'ATTEINDRE SES OBJECTIFS. C'EST LA RAISON POUR LAQUELLE IL A LA TÊTE DURE : RIEN NE L'ARRÊTE ! PEUT-ÊTRE AURAIT-IL PARFOIS INTÉRÊT À ÉCOUTER UN PEU PLUS LES AUTRES... SA GRANDE BONTÉ FAIT QU'IL INSPIRE LA CONFIANCE, ET C'EST UNE DES RAISONS MAJEURES DE SA RÉUSSITE.

1998 – VOUS ÊTES TIGRE !

LE TIGRE CARBURE À L'AVENTURE ET AU GOÛT DU RISQUE : RIEN NE LE FAIT RECULER. C'EST POUR CELA QU'IL IMPRESSIONNE TOUT LE MONDE. IL ADORE LES FRISSONS ET LES SUEURS FROIDES, MAIS SE RETROUVE SOUVENT DANS DES SITUATIONS DANGEREUSES. LE TIGRE SE CROIT INVINCIBLE, ET SON AMBITION L'AMÈNE À OUBLIER LE DANGER. PEUT-ÊTRE PARCE QU'IL AIME AUSSI ÉPATER LA GALERIE... CE N'EST PAS LE GENRE À PASSER INAPERÇU ! SON ENTOURAGE LE RESPECTE BEAUCOUP À CAUSE DE SON COURAGE ET DE SA GRANDE GÉNÉROSITÉ.

1999 - VOUS ÊTES CHAT !

LE CHAT... QUE DIRE DE LUI ? PREMIÈREMENT, IL AIME BIEN RELAXER. LE CONFORT EST LA CHOSE LA PLUS FONDAMENTALE POUR LUI : SA MAISON EST SON ROYAUME. IL EST TRÈS INTELLIGENT ET RUSÉ, MAIS IL NE CHERCHE PAS À TOUT PRIX À FAIRE ADOPTER SES IDÉES. POURQUOI SE BATTRE LORSQU'ON PEUT SE PRÉLASSER ? UN DES TALENTS PARTICULIERS DU CHAT EST DE POUVOIR EXPRIMER CLAIRE- MENT DES IDÉES QUI PEUVENT PARAÎTRE TRÈS COMPLIQUÉES AUX YEUX DES AUTRES. C'EST AUSSI UN TRÈS BON CONFIDENT ET UN AMI HORS PAIR, PUISQU'IL PREND LE TEMPS D'ÉCOUTER.

2000 - VOUS ÊTES DRAGON !

AVEC SON SENS DE L'HUMOUR INCOMPARABLE, SON ENTRAIN ET SA BONNE HUMEUR, LE DRAGON SÉDUIT FACILEMENT SON ENTOURAGE. IL AIME BIEN ATTIRER L'ATTENTION, CAR IL A LE SENS DU SPECTACLE DANS LE SANG. CRACHER DU FEU, CE N'EST QUAND MÊME PAS DONNÉ À TOUT LE MONDE ! SA TIMIDITÉ L'AMÈNE PARFOIS À MANQUER DE CONFIANCE EN LUI, ET IL CHERCHE ALORS L'ADMIRATION DANS LE REGARD DES AUTRES. L'HONNÊTETÉ, LA GÉNÉROSITÉ ET LE COURAGE SONT DES QUALITÉS QUI FONT DE CE SIGNE UN DES PLUS POPULAIRES DU ZODIAQUE CHINOIS.

2001 - VOUS ÊTES SERPENT !

LE SERPENT EST UNE USINE À IDÉES GÉNIALES ! C'EST UN ÊTRE PASSIONNÉ QUI VIT INTENSÉMENT CHAQUE MINUTE DE SON EXISTENCE. SON HORAIRE EST SOUVENT BIEN CHARGÉ. IL VEUT TOUT FAIRE EN MÊME TEMPS, CE QUI LE CONDUIT PARFOIS À MANQUER DE PERSÉVÉRANCE ET À NE PAS TERMINER CE QU'IL ENTREPREND. GRÂCE À SON ESPRIT ALERTE, LE SERPENT SAIT RÉSOUDRE LES ÉNIGMES. CE N'EST PAS TOUT ! C'EST UN ÊTRE PROFONDÉMENT BON, QUI ADORE RENDRE SERVICE, CE QUI FAIT DE LUI UN EXCELLENT AMI.

La réflexion de Léon

Dire que les boxeurs s'entraînent à la corde à danser! C'est quand même drôle quand on y pense, non?

DES CHIFFRES!

8 : Le 8/08/2008, à 8 h 8 min 8 s : date et heure auxquelles s'ouvriront les Jeux olympiques de Pékin. (Le chiffre 8 est un important symbole de prospérité dans la culture chinoise.)

18 : nombre de jours de compétitions

37 : nombre de sites où auront lieu les compétitions

302 : nombre d'épreuves différentes

10 500 : nombre d'athlètes qui sont attendus aux JO de Pékin

20 000 : nombre de journalistes qui vont couvrir l'événement

1 500 000 : nombre de bénévoles inscrits pour aider au bon déroulement des Jeux de Pékin

300 000 : nombre de maisons qui ont été démolies pour faire de la place aux installations olympiques. Imaginez combien de personnes il faudra reloger !

9 000 000 : nombre d'habitants de la ville de Pékin

4 MILLIARDS : nombre de personnes qui pourront voir les Jeux olympiques de Pékin en direct grâce à la télévision

40 milliards (de dollars !) : facture que Pékin aura à payer pour toutes les étapes des Jeux (de l'architecture du stade olympique à la cérémonie de clôture, en passant par la construction de toutes les installations). Cela équivaut à près de la moitié de TOUTES les dépenses encourues par TOUS les Jeux olympiques qui ont eu lieu depuis ceux de Montréal, en 1976.

PAUSE PUB

PRODUIT : LES COMPRIMÉS RÉ-MINEUR

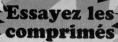

Ré-Mineur, les comprimés
à la *portée* de *tous* !

DES ATHLÈTES SUPERSTITIEUX !

Pour tout connaître sur leurs petites habitudes...

Tiger Woods (golf)

Chaque dernier jour de tournoi, ce golfeur revêt un polo de couleur rouge. L'idée vient de sa mère et de la passion de celle-ci pour l'astrologie. Un jour, alors qu'il jouait encore en tant qu'amateur, elle lui a affirmé que le rouge était sa « couleur de force ». Depuis, Tiger réussit toujours ses dernières journées de compétition lorsqu'il porte son polo rouge !

Rafael Nadal (tennis)

Aux changements de côté, le deuxième meilleur joueur du monde prend ses deux bouteilles d'eau et, une fois assis, les place méthodiquement entre ses jambes. Il veille également, lorsqu'il se lève, à ce que ses bas soient toujours remontés à la même hauteur. Ce n'est pas tout ! Chaque fois qu'il s'essuie le visage, il commence avec la main gauche et termine avec la droite.

Michael Jordan (basketball)

Durant toute sa carrière, Michael Jordan a porté, sous son équipement, un short de l'Université de Caroline du Nord, car c'est avec l'équipe de cette institution qu'il avait remporté le championnat universitaire en 1982.

Michael Phelps (natation)

Pendant les six jours précédant ses premiers Olympiques, ce nageur a mangé de la soupe aux palourdes au déjeuner et au dîner. Ayant eu vent de ce curieux régime, un ami lui avait offert une boîte de palourdes en conserve en vue de cet événement. Depuis, Michael accumule les records et les titres mondiaux ! Désormais, à chaque compétition, il a une boîte de palourdes dans sa chambre d'hôtel...

Andre Agassi (tennis)

Après chacune de ses victoires, le kid de Las Vegas demandait à conserver la serviette qu'il venait d'utiliser pour le tour suivant. Le lendemain, il souhaitait également que les chasseurs de balles placent cette serviette exactement au même endroit que la veille.

John Terry (soccer)

Cet Anglais avait l'habitude d'aller faire pipi dans le même urinoir lorsqu'il jouait à domicile, dans le stade de Stamford Bridge. Si la place était occupée, il attendait qu'elle se libère, même si tous les autres urinoirs étaient libres !

ET MAINTENANT, DE SOURCE SÛRE,
ce qu'il faut savoir sur nos athlètes...

Emilie Heymans (plongeon)

Elle a un maillot différent pour chaque épreuve et pour chaque échauffement. Ils sont devenus ses porte-bonheur.

Nicolas Macrozonaris (athlétisme – 100 m)

Notre champion national nettoie toujours son allée lorsqu'il se place dans les blocs (petites constructions dans lesquelles les coureurs posent leurs pieds sur la ligne de départ). Il doit enlever toutes les petites herbes et les roches qui sont sur son chemin !

Noémie Marin (softball)

Avant chaque partie, Noémie appelle sa mère, peu importe le décalage horaire. De plus, elle polit toujours son soulier droit avant le gauche.

Nicolas Mayer (escrime)

Quinze minutes avant chaque combat, Nicolas aime manger un bout de pain : il aime avoir l'impression que son ventre n'est pas vide.

Marie-Pierre Gagné (nage synchronisée)

Avant chaque compétition, Marie-Pierre s'assure d'avoir au moins 10 pince-nez. Elle les écrase tous avec ses souliers et les essaie pour choisir les cinq meilleurs. Elle en mettra deux sur son nez, un dans son maillot du côté droit, un autre du côté gauche et un dernier dans son décolleté, pour être certaine que si par mégarde elle en perd un, quelle que soit sa position, elle pourra en trouver un autre !

Questions à nos athlètes

	Émile Heymans Plongeon	Nicolas Macrozonaris Athlétisme	Marie-Pier Boudreau-Gagnon Nage synchronisée
As-tu un(e) amoureux(se) ?	Oui	Non	Non
Si oui, combien de fois l'appelles-tu le jour d'une compétition ?	Jamais	–	–
Quel genre de musique écoutes-tu avant une performance ?	Je n'en écoute pas	Du hip-hop	Aucune
Qu'aimes-tu lire ?	Des romans	N'importe quoi !	Des revues scientifiques
Où aimerais-tu vivre ?	À Barcelone, en Espagne	Au Canada	En Espagne
À qui as-tu le plus envie de parler après une compétition ?	À mon copain	À mon entraîneur	À ma mère
De quoi t'ennuies-tu le plus lorsque tu es loin ?	De la nourriture d'ici	De la neige	De rien... sauf parfois de la nourriture d'ici !
As-tu une phobie ?	Non	Non	Oui, celle des abeilles
Quel est ton plus grand défaut ?	La gourmandise	Je suis mal organisé	Je suis très entêtée
Quelle est ta plus belle qualité ?	La franchise	J'ai bon cœur	Je suis déterminée

Nicolas Mayer	Noémie Marin	Douglas Vandor	Marie-Hélène Prémont	Nathaniel Miller
Escrime	Softball	Aviron	Vélo de montagne	Water-polo
Oui	Non	Non	Oui	Oui
Le moins possible	-	-	Au moins une fois	Au moins une fois
Du rock et de la musique alternative	Tous les genres	Ce qu'il y a sur mon iPod	Toute sorte de musique	Tupac Shakur
Des romans d'espionnage	Le journal des sports	Des romans historiques	Des romans de suspense	Un peu de tout
À Paris ou à Londres	En Australie	À New York, à Séville ou à Paris	Je ne voudrais pas vivre ailleurs !	À Montréal ou près d'une plage
À mes amis et à ma copine	À ma mère	À mes parents	À mon chum	À Jessica, ma copine
De manger des légumes	De la bouffe maison	De ma famille et de mes amis	De mon chum, de mon chien et de ma famille	De Jessica, ma copine
Non	Oui, celle des serpents	Non	Oui, celle des petits espaces	Oui, celle des grandes étendues d'eau
Je suis toujours à la dernière minute	J'ai la tête dure	Je suis gourmand	Je remets souvent les choses au lendemain	Je ne suis pas très assidu...
J'ai un bon sens de l'humour	Je suis persévérante	Je suis généreux	La détermination	J'ai une bonne éthique du travail

Bottin cabotin

Sandie MAI-TREUHET........Coureuse de 110 m haies

Jean PEUPUS....................................Marathonien...
qui n'a jamais fini la course

Bob SLÉE...... Athlète qui s'est trompé d'Olympiques

A. LARAMÉE-LONGTEMPS......................... Rameuse
qui a fini dernière

Kim ONO... Judoka

L. COURT-AUBUT..........................Joueuse de softball

Eva VITT... Sprinteuse

I. PLANTE ....Lanceur de javelot

A. LEBEAU-POISSON .... Nageur

Bah THO ....Kayakiste polo

Tatien LAFLÈCHE................................. Tireur à l'arc

Fabien LABELLE-COUTURE........... Chirurgien sportif

QUELS SPORTS VERRONS-NOUS À PÉKIN?

DICO PRATIQUE
DES SPORTS OLYMPIQUES

ATHLÉTISME : Ce n'est pas un sport proprement dit, mais plutôt un ensemble de disciplines qu'on peut diviser en quatre grandes catégories : les lancers (du javelot, par exemple), les courses (du 100 m au 10 000 m), les sauts (en longueur, à la perche, etc.) et les épreuves sur route (marche olympique et marathon).

IL Y A AUSSI LES ÉPREUVES COMBINÉES : **L'HEPTATHLON** (7 épreuves, pour les femmes) et le **DÉCATHLON** (10 épreuves, pour les hommes), qui sont disputés sur deux jours. De 7 à 10 épreuves en deux jours ? Il faut être en forme !

AVIRON : C'est un sport d'équipe (deux, quatre ou huit personnes) qui consiste à ramer de toutes ses forces, en harmonie parfaite avec ses partenaires, pour que son bateau arrive le premier. Oh ! Hisse ! Oh ! Hisse !

BADMINTON : C'est un sport de raquette qui se pratique en simple ou en double. Il s'agit de marquer des points en renvoyant le volant de l'autre côté du filet. D'ailleurs, c'est le sport de raquette où ça va le plus vite : bien frappé, le volant peut atteindre 260 km/h, soit près de trois fois la vitesse maximale autorisée pour une voiture sur l'autoroute !

BASEBALL : Qui ne connaît pas le baseball ? C'est un sport d'équipe qui se joue en neuf manches. Pour marquer un point, il faut frapper une balle à l'aide d'un bâton, faire le tour d'un tracé comportant trois buts en touchant chacun d'eux au passage et rejoindre le marbre, d'où on est parti. Aux Jeux olympiques, c'est un sport uniquement masculin.

BASKETBALL : Voilà un autre sport bien connu ! Il s'agit de faire entrer un ballon dans le panier de l'adversaire, qui est suspendu à 3 m du sol. Mais attention : pour avoir le droit de se déplacer avec le ballon sur le terrain, il faut dribler. Les joueurs de basketball sont grands : ils mesurent presque tous au moins 1,90 m...

BOXE : Deux adversaires, face à face, qui s'envoient des coups de poing à la figure... Seraient-ce des délinquants qui se battent dans la rue? Eh non! Il s'agit de boxeurs! Contrairement à ce que bien des gens croient, le combat ne finit pas nécessairement quand l'un des deux adversaires tombe et ne peut plus se relever. Les juges qui assistent au combat attribuent des points et peuvent décider du résultat du match. Notez que c'est une bonne idée de faire assurer ses dents avant de se lancer dans la boxe...

CANOË-KAYAK : Il comprend deux disciplines : la course, qui est disputée en eau calme et qui ressemble beaucoup aux épreuves d'aviron, et le slalom, qui est bien différent. Imaginez : les athlètes doivent descendre une rivière où les eaux sont turbulentes et où on a mis des «portes», c'est-à-dire deux repères entre lesquels ils doivent se faufiler. Ça rame fort !

CYCLISME : Cette discipline se divise aussi en différentes catégories : le cyclisme sur piste (qui a lieu habituellement dans un vélodrome), le vélo tout terrain, qui se déroule en forêt sur terrain montagneux, le cyclisme sur route et le BMX... Oui, oui! Le BMX, contrairement aux autres épreuves de vélo, est un sport où on est jugé sur les figures que l'on effectue, un peu comme dans les compétitions de planche à neige ou de planche à roulettes.

ÉQUITATION : Il y a trois disciplines équestres* : le saut d'obstacles, le dressage — les chevaux doivent effectuer des figures — et le concours complet, qui regroupe les deux autres épreuves en plus d'une course de fond, c'est-à-dire sur une longue distance. Les épreuves équestres des Olympiques sont les seules où les hommes et les femmes s'affrontent directement, dans la même compétition. Pourquoi ? Parce qu'au fond c'est le cheval qui travaille...

ESCRIME : Ce sport reproduit les duels que l'on pratiquait au Moyen Âge et à la Renaissance. Les escrimeurs se battent à l'aide de trois types d'armes, le sabre, le fleuret ou l'épée. Malheureusement, on m'a dit que Zorro ne prenait pas part à la compétition...

FOOTBALL : Le football, qu'on appelle aussi soccer, est le sport le plus populaire sur la planète. Pour y jouer, il faut un ballon, deux buts et deux équipes bien décidées à marquer dans le filet adverse. Et n'oubliez pas l'un des règlements les plus importants : il est interdit de toucher le ballon avec ses mains !

GYMNASTIQUE : C'est un sport spectaculaire, qui demande aux athlètes à la fois de la grâce, de la souplesse et de la force physique. Il existe plusieurs épreuves, dont les anneaux, les barres asymétriques, les exercices au sol et le trampoline, qui sont majoritairement réservées soit aux garçons, soit aux filles. Des juges donnent des notes aux athlètes selon leur habileté.

HALTÉROPHILIE : Ce sport est en apparence assez simple (on lève une barre de métal aux extrémités de laquelle des poids ont été fixés), mais quand on y regarde de plus près, il n'est pas si facile à pratiquer ! Il faut être fort, rapide et très concentré pour arriver à lever ces barres horriblement pesantes. En plus, chaque fois que son tour revient, l'haltérophile doit soulever une charge encore plus lourde que la fois précédente pour rester dans la course. Juste d'y penser, j'ai mal aux muscles !

HANDBALL : Il se compare au soccer, sauf qu'on le joue avec les mains, et que les buts et le ballon sont plus petits. La position la plus difficile ? Gardien de but : le ballon arrive très, très vite !

90

HOCKEY : Vous avez bien lu, du hockey aux Jeux olympiques d'été ! Non, pas besoin de patins ou de glace pour le pratiquer. Il suffit d'une crosse (un bâton) et d'une balle. Le but ? En gros, c'est un mélange de soccer et de hockey sur glace : sur un grand terrain recouvert de gazon, deux équipes doivent faire entrer une balle dans le filet adverse, à l'aide d'un bâton.

JUDO : C'est un art de combat qui consiste à essayer de jeter son adversaire au sol à l'aide de prises précises. C'est le seul sport olympique où l'on a le «droit» de casser un bras à un adversaire... À qui le tour ? Moi ? Non, merci...

LUTTE : Il en existe deux types, la lutte libre et la lutte gréco-romaine, inspirée de celle qu'on pratiquait déjà lors des premiers Jeux olympiques en... 776 avant J.-C. ! La différence ? Pendant une partie de lutte gréco-romaine, les adversaires ne peuvent se toucher que le haut du corps. Autrement dit, ils ne se servent que de leur torse et de leurs bras. En lutte libre, on peut aussi faire des jambettes ou saisir l'adversaire par le bas du corps.

NATATION : Quand on parle de natation, on englobe plusieurs sports : les courses de nage comprenant différents styles (brasse, dos, papillon, style libre), la nage synchronisée, où l'on effectue une chorégraphie dans l'eau sur de la musique, le plongeon (à partir de tremplins de différentes hauteurs) et le water-polo, une espèce de handball dans l'eau. Ces nageurs sont de vrais poissons !

PENTATHLON MODERNE : Au début des années 1800, un jeune soldat français fut chargé de porter un message. Parti à cheval, il a galopé un certain temps et tiré à la carabine sur des ennemis avant de se faire surprendre par l'un d'eux. Ils ont alors sorti leurs épées et se sont battus. Après avoir gagné le combat, mais perdu son cheval, notre ami a poursuivi sa mission en courant, puis a traversé une rivière à la nage avant de pouvoir enfin transmettre le message. C'est ainsi qu'aurait vu le jour le pentathlon, un sport plutôt intense qui regroupe le tir, l'équitation, l'escrime, la course et la natation ! Pourquoi pentathlon ? Parce que «pente» signifie «cinq» en grec ancien et que la discipline comporte cinq épreuves.

SOFTBALL : C'est une sorte de baseball modifié : au lieu de lancer la balle en l'envoyant par-dessus son épaule, le lanceur effectue un mouvement par en dessous. Aux Jeux olympiques, c'est un sport exclusivement féminin.

TAEKWONDO : Voilà un art martial spectaculaire ! Coups de poings, coups de pieds, feintes, tout y est ! Aiiiiiyaaaaa !

TENNIS : C'est le sport de raquette le plus connu. Federer, Nadal, ces noms vous disent quelque chose ? Bien entendu ! On y joue en simple ou en double, avec une balle et une raquette, sur des terrains de gazon ou de terre battue, ou sur une surface artificielle.

TENNIS DE TABLE : Mieux connu sous le nom de ping-pong, le tennis de table ressemble à du tennis en miniature, qu'on jouerait sur un terrain réduit aux dimensions d'une table... Bien sûr, on utilise une raquette et une balle plus petites, mais le jeu est surtout beaucoup plus rapide ! On dit que c'est le sport le plus pratiqué sur la planète : 40 millions de personnes y jouent en compétition, sans compter toutes celles qui s'y adonnent dans leur sous-sol...

TIR : Il se pratique avec une arme à feu, un pistolet, une carabine ou un fusil. Il faut bien viser pour que la balle se loge à un endroit précis. Dans certaines épreuves, la cible est mobile. Il est recommandé de se tenir derrière les participants...

TIR À L'ARC : Pour le pratiquer, les athlètes ont besoin d'un arc et de flèches, comme Robin des Bois. Il s'agit de viser une cible et de l'atteindre en plein centre. Si l'on réussit, est-ce qu'il faut lancer une deuxième flèche pour qu'elle coupe la première en deux ?

TRIATHLON : Dans « triathlon », il y a le préfixe « tri », qui signifie « trois ». Il s'agit donc d'une combinaison de trois des disciplines les plus exigeantes physiquement : la natation, le cyclisme et la course à pied. Il faut être en excellente forme et faire preuve d'une grande endurance pour réussir dans ce sport.

VOILE : Installés dans différentes sortes de bateaux ou même sur une planche à voile, les athlètes ont recours à toutes leurs connaissances pour faire en sorte que leur embarcation soit la plus rapide. Évidemment, le vent compte pour beaucoup... Qu'est-ce qui arrive quand il tombe pendant la course ?

VOLLEY-BALL : Il existe deux sortes de volley-ball : celui auquel on joue dans un gymnase, vêtu d'un short et d'un t-shirt... et celui auquel on s'adonne sur la plage, parfois en maillot de bain ! En effet, le volley-ball de plage est un sport olympique depuis les Jeux d'Atlanta, en 1996. On reconnaît les athlètes qui y jouent à leur beau bronzage...

*ÉQUESTRE : qui a rapport aux chevaux.

ÊTES-VOUS PRÊTS POUR LES OLYMPIQUES ?

Voici comment une ville se prépare pour les accueillir.

Vous aimeriez que les **Olympiques** aient lieu dans votre ville? Voici la **marche** à suivre... **Bonne chance!**

Vous devez d'abord remplir, presque 10 ans à l'avance, un gros dossier de plusieurs pages où vous expliquerez pourquoi votre ville serait un bon choix, afin de convaincre le Comité international olympique de retenir sa candidature. Pas question de commencer la veille de la remise des travaux, comme à l'école...

Plusieurs villes ont soumis leur candidature. La vôtre fait partie des finalistes... Et puis, un beau jour, vous recevez un appel disant qu'elle a été choisie : vous sautez de joie! Mais attention : ne célébrez pas trop vite, le travail ne fait que commencer...

1, 2, 1, 2, en avant la construction!

La venue des Olympiques dans votre ville nécessite quelques adaptations. Avez-vous de bonnes installations sportives? Lorsqu'on organise un événement de cette envergure, il faut évidemment un stade et des piscines de dimensions olympiques, mais aussi des rivières ou des lacs aménagés pour l'aviron et le canoë-kayak, en plus de circuits extérieurs pour l'équitation et le marathon. Pas question de nager dans la piscine municipale ou de courir sur la piste un peu défraîchie de l'école secondaire de votre quartier! C'est sans parler des Jeux d'hiver qui, eux, demandent l'aménagement des montagnes et des sentiers où se tiendront les compétitions de ski et de planche, ainsi que la construction de patinoires.

À propos de construction: avez-vous prévu où allaient habiter les quelque 10 000 athlètes qui viendront compétitionner? Le motel du coin est bien trop petit pour les recevoir tous! Il faudra donc ériger ce qu'on appelle un village olympique, c'est-à-dire un lieu où les sportifs pourront se loger pendant toute la durée de l'événement. Vous n'aviez pas pensé à cela, hein?

Mais les athlètes ne sont qu'une partie des gens qu'on accueillera pour l'occasion. Il y aura aussi leurs entraîneurs, leurs massothérapeutes, tous les médecins spécialisés, les journalistes et les spectateurs. Ça en fait, du monde! Ce sont donc d'autres détails tout aussi importants à considérer lorsqu'on adapte une ville pour la venue des Olympiques. On bâtira des hôtels, des restaurants, des discothèques, bref, tout ce qui pourra servir à nos visiteurs tant attendus.

Tout doit être beau, beau, beau!

Maintenant que la construction va bon train, il est essentiel de tout garder bien propre et fonctionnel. On embauche alors des personnes pour entretenir les rues, rénover les édifices, moderniser le métro et les aéroports, ou pour effectuer des tâches plus simples, comme effacer les graffitis qui ornent les murs de la ville.

Plus on est de fous, plus on rit !

Maintenant qu'on s'est assurés que tout est bien propre et qu'il y a assez de place pour tout le monde, il reste à organiser la sécurité. Lorsqu'une ville accueille autant de touristes, elle doit veiller à ce que les entrées et sorties des athlètes et des spectateurs des différents stades s'effectuent sans risque, et que les files d'attente soient respectées. Pour ce faire, des milliers de bénévoles sont recrutés, en plus des policiers municipaux, afin de garantir le respect des consignes de sécurité et le bon fonctionnement général. On ne voudrait quand même pas qu'après tant de travail des batailles et des chicanes viennent assombrir le symbole de paix et de fraternité que sont les Jeux olympiques !

Avez-vous pensé à tout ? Hum… Je vous donne un indice : comment un athlète turc pourra-t-il communiquer avec un arbitre chinois ? Peut-être qu'il serait utile d'avoir sur place des interprètes* ainsi que des traducteurs. Ils seront essentiels au bon déroulement des Jeux et permettront à tous les participants de se comprendre entre eux.

C'est bien beau, toute cette organisation, mais est-ce qu'il sera possible de s'amuser un peu pendant les deux semaines de compétition ? Il faut bien sûr s'en assurer. C'est la raison pour laquelle on doit prévoir des spectacles pour les cérémonies d'ouverture et de clôture. Afin que les célébrations soient flamboyantes, mémorables, spectaculaires, on engage des artistes de renom qui créeront des numéros, des chansons et des chorégraphies, sans oublier de s'occuper d'une multitude de détails tels que les costumes des mascottes qui représenteront l'événement. C'est une immense équipe à réunir !

Et combien de temps avez-vous pour faire tout cela ? En moyenne, un peu moins de sept ans. Alors, ça vous tente toujours ?

* Interprète : personne qui traduit oralement
une langue dans une autre.

100

QUE FAIRE DE VOS 10 DOIGTS À PART VOUS CHATOUILLER LE DESSOUS DES PIEDS...

EN ÉCRIVANT LE MOT « AMITIÉ » EN CHINOIS !

Saviez-vous que l'écriture chinoise est la plus vieille à être encore utilisée aujourd'hui ? Très différente de la nôtre (qui comporte un alphabet de 26 lettres), elle comprend plus de 6000 signes ! Imaginez, les enfants doivent en apprendre plus de 3000 à l'école primaire !

S'il y a autant de caractères, c'est parce que chacun d'eux représente un mot qui traduit soit une image, soit une émotion. Il peut donc y avoir plusieurs caractères pour représenter un seul mot. Nous avons choisi de vous montrer comment écrire « amitié ». En chinois, ce mot est une combinaison de « ami » + « émotion ».

ami(e)

émotion

AMITIÉ

Sans plus tarder, prenez votre crayon feutre préféré et observez bien les images suivantes. Les traits rouges ont été ajoutés pour vous guider. Bonne chance!

103

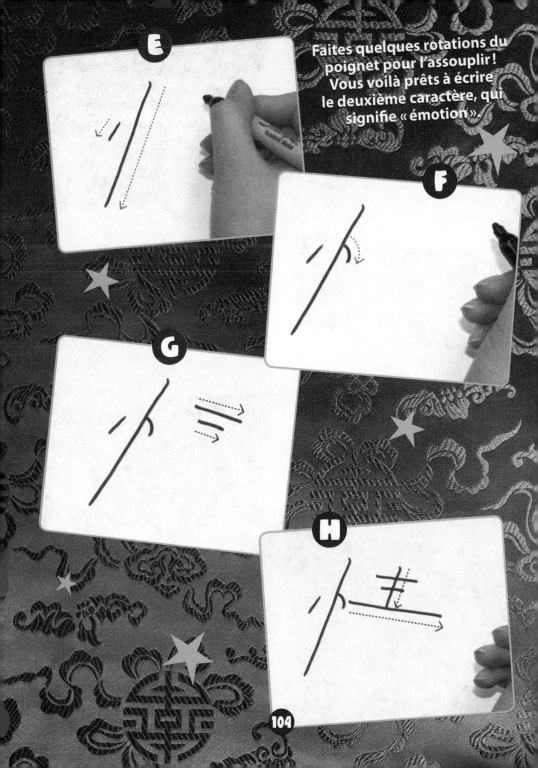

Faites quelques rotations du poignet pour l'assouplir ! Vous voilà prêts à écrire le deuxième caractère, qui signifie « émotion ».

E

F

G

H

104

Tadam !
Vous venez d'écrire « amitié » en chinois ! Vous pouvez maintenant l'apprendre à tous vos amis !

Et pour que vous deveniez de vrais experts, il ne vous reste que 5998 caractères à maîtriser !

ami(e)

émotion

Un merci tout spécial à Yue Ma,
– 马悦 – une bénévole super cool
du Centre communautaire et
culturel chinois de Montréal.
Pour plus d'information sur
l'art de l'écriture chinoise,
la calligraphie ou même
la Chine, visitez le site
Internet suivant :
http://www.ccccmontreal.org

Vrai ou Faux ?

1. On allume la flamme olympique en se servant de l'énergie du soleil.

    VRAI ou FAUX

2. Il est interdit d'étouffer son adversaire pendant une compétition de judo.

    VRAI ou FAUX

3. Le vent peut influencer les résultats des coureurs.

    VRAI ou FAUX

4. Les règlements du tennis sont les mêmes aux Jeux olympiques et paralympiques.

    VRAI ou FAUX

5. Une balle de tennis peut se déplacer à plus de 200 km/h.

VRAI ou FAUX

6. Les gymnastes ont davantage d'impulsion au sol parce qu'il y a plein de petits ressorts sous le tapis.

VRAI ou FAUX

7. Le ping-pong se joue seulement en simple.

VRAI ou FAUX

8. Il existe un musée olympique.

VRAI ou FAUX

Réponses à la page 196

MON ŒIL !

Histoires insolites

SURPRISE !

Championne des jeux de 1932, Stella Walsh, de son vrai nom Stanislawa Walasiewiczowna, avait été la première femme à courir le 100 m en moins de 12 secondes. À sa mort, les médecins ont fait une drôle de découverte en pratiquant son autopsie : ils se sont aperçus que Stella n'était pas une femme, mais bien un homme ! Comme quoi il ne faut jamais se fier aux apparences...

FAUT LE FAIRE !

Éric Moussambani a connu la célébrité internationale lors des Jeux olympiques de Sydney, en 2000. Mais pas parce qu'il a gagné une course, bien au contraire... L'homme originaire de Guinée équatoriale (un pays de l'Afrique) a mis deux fois plus de temps que ses adversaires pour nager exactement la même distance !

Il faut comprendre que la Guinée équatoriale est un pays en voie de développement qui ne possède pas les installations nécessaires pour entraîner des athlètes. Ainsi, Moussambani n'avait appris à nager que huit mois avant la compétition et ne s'était jamais rendu à une distance de 100 mètres en entraînement !

TRÈS, TRÈS CHAUDE LUTTE !

C'est au cours de ces mêmes Jeux qu'a eu lieu le match de lutte gréco-romaine olympique le plus long jamais enregistré. Le Finlandais Alfred Asikainen et le Russe Martin Klein ne s'attendaient certainement pas, en commençant leur combat, à ce que cette lutte dure... 11 heures 40 minutes !

INCROYABLE MAIS VRAI !

Oscar Pistorius, un athlète sud-africain portant des prothèses à la place de ses jambes, voulait s'inscrire aux épreuves de course des Jeux olympiques de Pékin. À sa grande surprise, il n'a pas été accepté ! Pourtant, à Rome en 2007, il a terminé deuxième au 400 m contre des athlètes non handicapés. Mais alors, pourquoi l'avoir refusé cette fois-ci ?

Eh bien, la Fédération internationale d'athlétisme a jugé qu'il était... avantagé ! Oui, oui ! Selon un expert, ses prothèses en fibre de carbone lui apporteraient une meilleure stabilité et ne perdraient pas d'énergie comme de vraies jambes, après un long exercice. Elle est tout de même bonne, celle-là, non ?

OUPS... !

La journée du marathon aux Jeux de Stockholm, en 1912, une chaleur intense sévissait sur la ville. Un des compétiteurs, le Japonais Shizo Kanaguri, fit la première partie de la course sans trop de difficulté. Rendu au 30e kilomètre, assoiffé, le pauvre

OUPS... ! (SUITE)

Japonais accepta l'hospitalité d'un Suédois qui l'invita à entrer dans sa demeure pour boire un jus de fruits. Jusque-là, tout allait bien. Kanaguri, épuisé, s'effondra alors sur un canapé pour récupérer un peu.

Son « petit somme » dura... jusqu'au lendemain ! Les gens qui l'attendaient à la ligne d'arrivée se firent beaucoup de souci et les policiers de la ville furent même alertés pour essayer de le retrouver. À son réveil, Kanaguri fut si gêné qu'il n'était plus certain de vouloir rentrer au Japon...

Saviez-vous ça ?

Il faut compter au moins 16 heures de vol pour se rendre en Chine.

Comme il n'existe pas de vol direct Montréal-Pékin, on doit absolument faire une escale pour aller dans ce pays, par exemple à Vancouver. Le vol Montréal-Vancouver dure environ 5 heures, tandis que celui de Vancouver à Pékin est d'au moins 11 heures, ce qui fait un total de 16 heures dans les airs. Mais ce n'est pas tout ! Il faut aussi ajouter le décalage horaire : lorsqu'il est 8 h du matin au Québec, il est déjà 9 h du soir en Chine. On doit donc, quand on atterrit à Pékin, ajuster sa montre en l'avançant de 11 heures... J'espère que les athlètes profiteront de quelques jours de repos après leur arrivée là-bas, question de s'adapter un peu !

Ça y est ! Je suis prêt pour mon épreuve de natation : le 400 m papillon.

TERRAIN DE JEUX

SOLUTIONS À LA PAGE 196

Reliez les points!

**ATTENTION, IL Y A TROIS SECTIONS À COMPLÉTER.
ELLES SONT IDENTIFIÉES PAR DES COULEURS DIFFÉRENTES.**

†UN PETIT CONSEIL : SI VOUS TRACEZ DES LIGNES LÉGÈREMENT COURBES ET SI VOUS UTILISEZ
UN CRAYON À ENCRE NOIRE, LE RÉSULTAT FINAL SERA PLUS BEAU !

Touché !

LABYRINTHE

En suivant les lignes, vous découvrirez qui, de Léon, de Lola ou du Chat, arrivera premier. Vous pourrez ensuite les dessiner sur le podium dans leur position respective !

MOT INCOGNITO

Trouvez tous les mots dans cette grille et encerclez-les. Ils peuvent être formés horizontalement, verticalement, diagonalement, de gauche à droite ou de droite à gauche. De plus, les mêmes lettres peuvent servir plusieurs fois pour différents mots. À la fin, placez chaque lettre restante dans l'ordre dans les cases blanches ci-dessous et complétez la phrase.

ARBITRE • CHAMPION • RECORD • OLYMPIQUE • JEU •

SPORTS • JUDO
SYNCHRONISÉE
MÉDAILLE
COMPÉTITION

PODIUM • ÉPREUVE • AVIRON • CHINOIS • VAINCRE • POINTAGE

C	O	M	P	E	T	I	T	I	O	N	E
H	L	E	U	E	M	O	R	C	E	E	R
A	R	D	J	I	K	O	R	H	S	U	T
M	V	A	E	J	D	I	I	I	H	Q	I
P	A	I	U	U	T	O	N	N	O	I	B
I	I	L	R	D	E	O	P	O	N	P	R
O	N	L	D	O	R	V	E	I	N	M	A
N	C	E	S	H	N	J	U	S	E	Y	H
E	R	E	C	O	R	D	U	E	U	L	Y
X	E	N	T	R	A	I	N	E	R	O	M
G	Y	M	E	G	A	T	N	I	O	P	N
S	P	O	R	T	S	E	P	I	U	Q	E

ÉQUIPE • HONNEUR • ENTRAÎNER • HYMNE • PÉKIN • TIR • ROME • GYM

LÉON EST ⬜⬜ ⬜⬜⬜ ⬜⬜⬜ ⬜⬜⬜ !

126

tangram

Ce petit temple chinois a été défait en morceaux.
Arriverez-vous à le reconstruire en utilisant tous ces éléments?
Bonne chance...

C'est quoi, ça?

Des objets ont été photographiés de très près, ce qui fait qu'ils sont plutôt difficiles à identifier. Mais vous connaissez très bien toutes ces choses, alors, pouvez-vous les nommer?

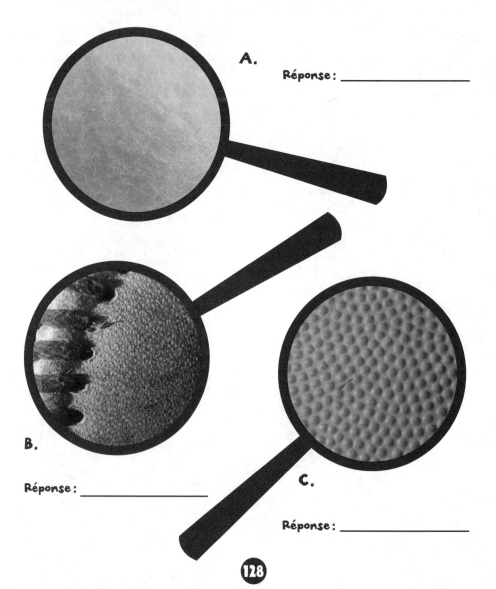

A.

Réponse : _____

B.

Réponse : _____

C.

Réponse : _____

SUDOKU

Ce jeu de Sudoku est un peu spécial. Pour qu'il ait encore plus de piquant, il a été fait avec de vrais chiffres chinois ! Remplissez cette grille avec les symboles proposés, sans qu'ils se retrouvent plus d'une fois sur une même ligne ou une même colonne. Amusez-vous bien !

四　五　六　七
4　　5　　6　　7

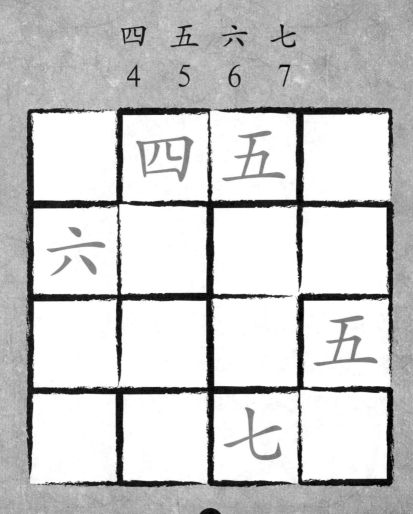

LES 15 ERREURS

AVANT

APRÈS

Drapeaux croisés

Remplissez la grille ci-dessous à l'aide des petits drapeaux. Chacun d'entre eux représente un pays différent dont il faut écrire le nom dans la grille. Beau défi!

TROUVEZ L'INTRUS

Un de ces éléments n'a absolument rien à voir avec la Chine... Lequel ?

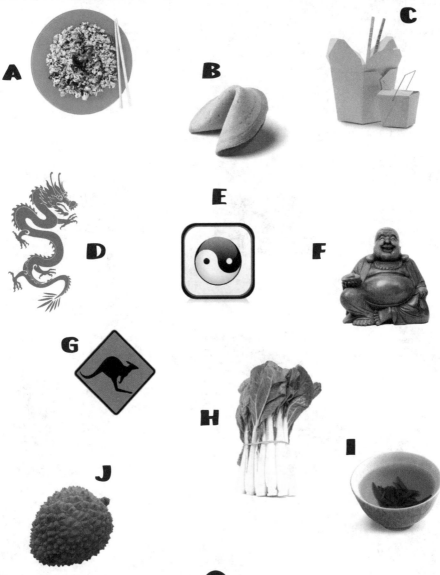

A

B

C

D

E

F

G

H

I

J

Où est le «bon» Léon ?

Saurez-vous le retrouver parmi toutes ces copies ? Pour ce faire, suivez les indices ci-dessous...

1. Il est dans la rue...

2. ... à côté d'un moyen de transport...

3. ... qui roule... 4. ... sur quatre roues...

5. ... et qui est situé le plus au nord-est !

135

Le Métier Super Cool

Artisan du vélo

Luc Hénault

Saviez-vous que les vélos de certains athlètes qui participent aux Jeux olympiques sont faits sur mesure et que leur fabrication nécessite un très grand souci du détail ? Qui, selon vous, fabrique ces bicyclettes si performantes et si complexes ? Eh bien, ce travail est effectué par des artisans comme Luc Hénault, qui œuvre pour la compagnie Marinoni.

Luc Hénault, artisan du vélo

POURQUOI AS-TU VOULU DEVENIR ARTISAN DU VÉLO ?

J'ai fait beaucoup de vélo de compétition lorsque j'étais plus jeune et j'ai commencé à rêver qu'un jour je fabriquerais mes propres modèles. À partir de l'âge de 13 ou 14 ans, je me suis renseigné sur le sujet. J'ai lu beaucoup et j'ai fait de la mécanique. Je me suis mis à chercher des pièces, des tubes ayant des formes et des épaisseurs spécifiques, et à monter des vélos par essais et erreurs, en tâtonnant, en expérimentant. À l'âge de 22 ans, j'ai finalement fabriqué mon premier vélo, après avoir fait un voyage aux États-Unis pour dénicher des pièces très précises. Il m'a fallu plusieurs semaines de travail. J'ai roulé avec ce vélo pendant deux ans ! Malheureusement, je ne l'ai pas gardé en souvenir. Je le regrette aujourd'hui.

EN QUOI CONSISTE LE TRAVAIL D'UN ARTISAN DU VÉLO ?

Premièrement, on doit concevoir des modèles sur papier, pour ensuite les fabriquer. Comme Marinoni est une petite entreprise familiale, chaque employé fait un peu de tout. Ma tâche principale consiste à penser et à dessiner les ébauches et les croquis des nouveaux modèles que nous mettrons sur le marché. Pour ce faire, je dois trouver les matériaux adéquats.

Ensuite, j'aide à la fabrication et à la soudure, tout en faisant les suivis et les réparations sur les bicyclettes que nous avons vendues à des athlètes ou tout simplement à des gens qui sont passionnés par ce sport.

Le soudeur en pleine action

QUEL GENRE DE VÉLO FABRIQUEZ-VOUS ?

Notre série est assez diversifiée : nous pouvons aussi bien concevoir un vélo pour un athlète qui recherche la performance absolue que pour quelqu'un qui voudrait faire le tour de l'Afrique sur deux roues ! Cependant, nous restons toujours dans ce qu'on appelle le vélo de route.

QU'EST-CE QUE TU TROUVES LE PLUS COOL DANS TON MÉTIER ?

La plus grande satisfaction que me procure mon travail, c'est de voir que les gens apprécient nos vélos et qu'ils en viennent à développer des passions à cause de la qualité du produit que nous leur avons vendu.

QUELLES SONT LES QUALITÉS NÉCESSAIRES POUR DEVENIR UN BON ARTISAN DU VÉLO ?

Je dirais que la chose la plus importante est la détermination, car ce n'est pas un métier qui s'apprend à l'école. C'est sûr qu'un bon cours de mécanique est quasi essentiel. Il faut essayer par soi-même, apprendre la mécanique de vélo (qui est très différente de celle des automobiles), s'exercer à en réparer, tenter de comprendre l'assemblage, etc. Une autre qualité essentielle, mais qui peut se développer avec le temps, est la dextérité ; on doit être très habile de ses mains, car les vélos sont composés de petites pièces fines et parfois fragiles.

QUELLE EST LA CHOSE LA PLUS IMPRESSIONNANTE QUE TU AIES ACCOMPLIE ?

Je dirais que c'est lorsque nous avons sorti notre premier cadre en carbone (un matériau très léger). C'était le début des vélos fabriqués avec ce matériau ; il n'y en avait pratiquement pas sur le marché. Nous avons été les premiers au Canada à faire un vélo en carbone de conception monocoque. Le terme « monocoque » signifie que le vélo est moulé en une seule pièce. Je t'explique : c'est un peu comme gonfler un ballon, mais dans un tuyau. Le ballon prend alors la forme du tube. C'est la même chose pour le carbone. Lorsqu'on le met à l'intérieur des tubes (qui ont la forme du cadre qu'on veut), on ajoute un ballon sans air au centre, puis on le gonfle. Le ballon pousse ainsi sur le carbone, qui épouse les parois internes du moule (les tubes). On peut ensuite séparer le moule en deux et dégager notre cadre, qui a alors la forme désirée.

Le Métier Super Cool

Journaliste sportive

Photo: gracieuseté de Radio-Canada

Marie-Josée Turcotte

Aimez-vous regarder le sport à la télévision ? Avez-vous déjà secrètement rêvé d'être à la place des journalistes chanceux qui s'entretiennent avec vos athlètes favoris ? Eh bien, lisez ce qui suit pour en apprendre davantage sur ce métier en compagnie de Marie-Josée Turcotte, journaliste sportive à Radio-Canada !

POURQUOI AS-TU VOULU DEVENIR JOURNALISTE SPORTIVE ?

Petite, je voulais devenir journaliste, mais j'espérais plutôt être correspondante* à l'étranger. Je me suis retrouvée en sport un peu par hasard. Je travaillais pour Radio-Canada à Edmonton, à mes débuts en 1984, et, un jour, on m'a demandé de couvrir la Coupe Grey (football). J'ai bien aimé mon expérience. On m'a ensuite transférée à Montréal. Plus tard, peu de temps avant les Jeux olympiques de Calgary et ceux de Séoul, en 1988 (à cette époque, les Olympiques avaient lieu deux fois dans la même année), Radio-Canada m'a offert de travailler à titre de collaboratrice pour ces occasions. J'ai donc eu la chance de couvrir deux Jeux durant les premières années de ma carrière de journaliste sportive !

EN QUOI CONSISTE TON TRAVAIL DE JOURNALISTE SPORTIVE ?

Tout d'abord, ce métier peut se pratiquer de différentes façons. On peut aussi bien faire de la radio, de la télévision ou de l'Internet que de la presse écrite (journaux, magazines). Pour moi qui œuvre en télé, mon travail consiste principalement à couvrir des événements en direct, à donner l'actualité sportive, c'est-à-dire les nouvelles récentes les plus importantes, et aussi à m'entretenir avec des athlètes qui viennent de compétitionner.

* *Correspondant à l'étranger : journaliste qui couvre les actualités dans un autre pays.*

QUELLES SONT LES QUALITÉS NÉCESSAIRES POUR DEVENIR UN BON JOURNALISTE SPORTIF ?

En général, pour être un bon journaliste, il faut savoir bien écrire et bien s'exprimer, être capable de foncer, d'aller vers les gens et surtout de poser de bonnes questions. La curiosité est également une qualité essentielle.

QU'EST-CE QUE TU TROUVES LE PLUS COOL DANS TON MÉTIER ?

Il n'existe pas de routine dans mon travail, et ça me plaît bien ! Par ailleurs, c'est toujours stimulant de faire du direct. Comme les émissions sont diffusées au moment même où nous enregistrons, je dois être prête à faire face aux imprévus : si, par exemple, nous perdons le signal au cours d'une entrevue via satellite, je dois être capable de poursuivre et d'improviser sur un autre sujet.

PENDANT LES JEUX OLYMPIQUES, QUEL EST TON RÔLE ?

Durant les Jeux, j'anime l'émission quotidienne qui couvre les différentes compétitions. Je peux être appelée à interviewer des athlètes canadiens ou à parler de n'importe quel sport en direct. Je dois donc avoir fait auparavant des recherches sur les différentes disciplines, les meilleurs résultats de l'année, etc. Pendant les 15 jours de compétitions, nous sommes vraiment dans une bulle d'informations ; il faut être très alertes pour ne rien manquer !

CETTE ANNÉE, TU NE TE RENDRAS PAS À PÉKIN ; TU COUVRIRAS LES JEUX À PARTIR DE MONTRÉAL. QUELLES SONT LES DIFFÉRENCES MAJEURES DANS TON TRAVAIL SELON QUE TU ES SUR PLACE OU À DISTANCE ?

En gros, le travail est le même. Toutefois, quand nous restons à Montréal, nous ne sentons pas l'atmosphère dans laquelle la ville hôtesse est plongée. Lorsque nous nous rendons sur place, nous avons la chance de le faire quelques jours avant le début officiel des Jeux, ce qui nous permet de découvrir un peu le pays, de visiter la ville et les installations olympiques, et d'avoir des contacts avec la culture et les gens. De plus, nous rencontrons les athlètes tout de suite après leur performance. C'est tout un privilège !

TE SOUVIENS-TU D'UNE RENCONTRE AVEC UN ATHLÈTE QUI T'A PARTICULIÈREMENT MARQUÉE ?

Oui, celle avec le hockeyeur Joé Juneau, juste avant les Jeux olympiques d'Albertville, en 1992. C'était un athlète très talentueux qui avait pourtant refusé d'aller jouer dans la Ligue nationale parce qu'il voulait terminer ses études universitaires et participer aux Jeux olympiques. J'ai été très impressionnée par son attitude posée et sa confiance en lui, malgré son jeune âge. Sa détermination lui a permis de réaliser plusieurs de ses rêves : après avoir remporté une médaille d'argent avec l'équipe canadienne de hockey et obtenu un diplôme d'ingénieur, il a mené une carrière professionnelle dans la Ligue nationale pendant 12 ans.

Le Métier Super Cool

Entraîneur

Daniel St-Hilaire

Photo : Shane Kelly

Daniel St-Hilaire est allé très souvent aux Olympiques. Quelle est sa discipline ? L'athlétisme... mais ce n'est pas lui que vous verrez courir ou sauter à Pékin ! En effet, derrière chaque grand athlète se cache un bon entraîneur, comme Daniel ! Voyons plus en détail en quoi consiste son métier.

POURQUOI AS-TU VOULU DEVENIR ENTRAÎNEUR EN ATHLÉTISME ?

J'ai eu envie de faire ce travail parce que je souhaitais aider les athlètes à progresser. Je trouvais que les amener à réaliser leurs rêves représentait un beau défi.

EN QUOI CONSISTE TON MÉTIER ?

En gros, l'entraîneur doit prendre soin de l'athlète et faire tout ce qui est en son pouvoir pour qu'il se développe au maximum. Pour ce faire, il planifie ses entraînements, lui conseille des exercices précis, l'accompagne durant les compétitions, commente ses performances, etc. En fait, il supervise toutes ses activités afin d'avoir une vue d'ensemble de son état et de ses capacités.

À QUEL ÂGE AS-TU FAIT TES DÉBUTS COMME ENTRAÎNEUR ?

Vers l'âge de 22 ans. À cette époque, j'étais un athlète et je commençais à coacher.

QU'EST-CE QUE TU TROUVES LE PLUS COOL DANS TON MÉTIER ?

C'est un travail qui me permet de voyager beaucoup, étant donné que j'accompagne les athlètes à toutes leurs compétitions. De plus, j'aime bien l'idée de mettre sur pied de nouvelles méthodes d'entraînement que je peux ensuite tester sur les athlètes avec qui je collabore.

QUELLES SONT LES QUALITÉS NÉCESSAIRES POUR DEVENIR UN BON ENTRAÎNEUR ?

Je dirais qu'il faut surtout être passionné. On doit aussi avoir de l'empathie afin de comprendre les athlètes ; ce n'est pas toujours facile de se mettre à leur place, mais c'est nécessaire si on veut arriver à les aider.

COMMENT DÉCRIRAIS-TU LA RELATION QUE TU ENTRETIENS AVEC LES ATHLÈTES DONT TU T'OCCUPES ?

Nous sommes de véritables complices ; je deviens en fait une extension de leur corps et de leur esprit.

Daniel St-Hilaire, photographié aux côtés de Yao Ming, joueur de basketball chinois, aux Jeux olympiques d'Athènes, lors de la cérémonie de clôture. Il mesure 2,30 m !!!

PEUX-TU NOUS RACONTER UN MOMENT INOUBLIABLE DE TA CARRIÈRE ?

Ça s'est passé en 1990, aux Jeux du Commonwealth, à Auckland, en Nouvelle-Zélande, alors que Bruny Surin venait de terminer sa course (100 m). À la ligne d'arrivée, c'était si serré que les juges ont dû faire appel à des reprises vidéo. Après cinq minutes interminables, le nom de Bruny est apparu au tableau électronique : il venait de remporter sa première médaille (troisième place) au niveau international !

AS-TU UNE IDOLE, UNE PERSONNE QUI EST POUR TOI UNE SOURCE D'INSPIRATION (TOUS DOMAINES CONFONDUS) ?

Le joueur de hockey Maurice « The Rocket » Richard.

COMMENT FAIT-ON POUR DEVENIR ENTRAÎNEUR ?

Il n'y a pas vraiment d'école où apprendre ce métier, mais il existe tout de même un système de formation. Le Programme national de certification des entraîneurs et la Fédération québécoise d'athlétisme offrent des cours aux personnes qui souhaitent être coachs. La plupart des gens qui exercent ce métier ont toutefois un long passé d'athlète derrière eux.

Daniel a déjà été l'entraîneur de l'ex-champion Bruny Surin. Jusqu'à tout récemment, il était aussi celui de Nicolas Macrozonaris.

Il entraîne présentement les coureurs Hank Palmer (qui est membre de l'équipe canadienne du relais 4 x 100 m), Kimberly Hyacinthe, David Pedneault et Jonathan Charest. Il s'occupe également des sauteurs Patrick Massok, Ndiaga Diop et Frédéric Miyoupou.

Devinettes

Quel poisson peut nager sur de très longues distances sans se fatiguer ?

Le mara-thon.

Quel est le sport préféré des charpentiers ?

Le lancer du marteau.

Quel est le sport favori des croquemorts ?

Le football, parce qu'il y a beaucoup de temps morts.

Quel est le sport que les oiseaux détestent le plus ?

Le badminton, parce que les joueurs frappent un moineau.

Pourquoi y a-t-il plein de chanteurs qui assistent aux Olympiques ?

Ils veulent s'assurer que ce n'est pas leur disque qu'on utilise pour le lancer du disque...

Quels athlètes olympiques subissent le plus de pression ?

Les haltérophiles, parce qu'ils se mettent beaucoup de poids sur les épaules.

Quel est le sport que les végétariens apprécient le plus ?

Le lancer du pois...

Quel sport rend le plus intelligent ?

Le soccer, parce que les joueurs se servent de leur tête pour jouer...

Il est interdit de boire de l'alcool en pratiquant quel sport ?

Le badminton, parce qu'on ne doit pas prendre le volant quand on a bu...

Quels sont les athlètes les plus nerveux ?

Les sauteurs. Il leur arrive même de faire un triple saut...

ÉCOUTEZ BIEN CE QUI SUIT...

MILLE ET UN TRUCS ET CONSEILS DE NOS ATHLÈTES!

ÉMILIE HEYMANS : « LORSQU'ON SE REND COMPTE QU'ON A UN CERTAIN TALENT, ON A DEUX CHOIX : SE CONTENTER D'ÊTRE BON OU DÉCIDER DE DEVENIR LE MEILLEUR ! POUR CELA, IL N'Y A QU'UNE SEULE SOLUTION : LE TRAVAIL, LE TRAVAIL ET ENCORE LE TRAVAIL ! »

MARIE-HÉLÈNE PRÉMONT : « IL NE FAUT JAMAIS OUBLIER DE S'AMUSER PARCE QUE, QUAND ON FAIT CE QU'ON AIME ET QU'ON Y PREND PLAISIR, C'EST BEAUCOUP PLUS FACILE D'AVOIR DE BONS RÉSULTATS ! »

NICOLAS MAYER : « IL FAUT TOUT LE TEMPS RESTER POSITIF ! ON NE DOIT JAMAIS BAISSER LES BRAS, MÊME SI ÇA PEUT ARRIVER QU'ON SE DÉCOURAGE APRÈS S'ÊTRE FAIT BATTRE PLUSIEURS FOIS. IL NE FAUT PAS SE FÂCHER, MAIS S'ARRÊTER ET RÉFLÉCHIR EN SE RAPPELANT TOUJOURS QU'ON EST LÀ POUR AVOIR DU PLAISIR ! »

MARIE-PIER BOUDREAU-GAGNON : « PREMIÈREMENT, IL FAUT ACCEPTER LE FAIT QUE LA NAGE SYNCHRONISÉE EST UN SPORT JUGÉ : SI TU ES CONTINUELLEMENT EN TRAIN DE TE SENTIR SOUS-ÉVALUÉE PAR LES JUGES ET SI TU N'ES JAMAIS SATISFAITE DE TES RÉSULTATS, TU ES MIEUX DE CHOISIR UN AUTRE SPORT ! ÇA DOIT DONC TOUJOURS ÊTRE TA PASSION POUR LE SPORT QUI TE MOTIVE, ET NON LES RÉSULTATS ! »

MARIE-PIERRE GAGNÉ : « LE MEILLEUR CONSEIL QUE JE PEUX DONNER, C'EST DE TOUJOURS TRAVAILLER FORT : JE N'ÉTAIS PAS LA MEILLEURE, ET PLEIN DE FILLES AURAIENT PU FAIRE L'ÉQUIPE AVANT MOI. MAIS J'AI TOUJOURS CONTINUÉ À DONNER LE MAXIMUM ! ET LE TRAVAIL, DANS MON PETIT MONDE, ÇA PAIE TOUJOURS ! IL FAUT TRAVAILLER INTELLIGEMMENT, ÊTRE STRATÉGIQUE ; ON DOIT TROUVER LE POSTE QUI NOUS CONVIENT LE MIEUX, SELON NOS FORCES ET NOS FAIBLESSES ! »

JEAN SAYEGH : « À TOUS LES AMOUREUX DE WATER-POLO, JE VEUX DIRE QUE C'EST IMPORTANT DE NE PAS SE DÉCOURAGER. C'EST UN SPORT TRÈS DIFFICILE QUI DEMANDE BEAUCOUP D'ENDURANCE ET D'HABILETÉ DANS L'EAU. C'EST AUSSI UN DES PLUS BEAUX SPORTS DU MONDE, ALORS LES EFFORTS EN VALENT GRANDEMENT LA PEINE ! »

MARYLISE LÉVESQUE : « EN JUDO, IL FAUT TENTER D'ÊTRE LE PLUS POLYVALENT POSSIBLE. PLUS TU ES CAPABLE D'ASSIMILER DES TECHNIQUES DIFFÉRENTES ET PLUS TU AURAS LA POSSIBILITÉ DE SURPRENDRE TES ADVERSAIRES. IL NE FAUT PAS TOUJOURS RÉPÉTER CE QU'ON FAIT BIEN. IL VAUT MIEUX PASSER PLUS DE TEMPS SUR CE QU'ON NE MAÎTRISE PAS ENCORE DANS LE BUT DE S'AMÉLIORER. »

DOUGLAS VANDOR : « IL NE FAUT PAS ÉCOUTER TOUS CEUX ET CELLES QUI VOUS DÉCOURAGENT... L'IMPORTANT, C'EST DE TRAVAILLER FORT, FORT, ET ENCORE PLUS FORT ! VOUS VERREZ, LES EFFORTS SONT TOUJOURS RÉCOMPENSÉS. »

24 HEURES
DANS LA VIE
D'UN ATHLÈTE...

... avant une compétition importante !

Avec Marie-Pier Boudreau-Gagnon, notre nageuse synchronisée étoile.

LA VEILLE :

18H00 Si j'ai une blessure, je reçois un traitement de mon physiothérapeute.

19H00 Je mange un bon repas comprenant beaucoup de riz, car selon une croyance populaire, manger du riz fait flotter!

21H00 Je me couche très tôt pour être en superforme le lendemain...

LA JOURNÉE DE LA COMPÉTITION :

05H00 Oui, oui! 5 h du matin! On se lève tôt. Je dois me préparer pour la compétition et, en nage synchronisée, une des choses qui demandent le plus de temps, c'est les cheveux. Il faut se faire un chignon, y appliquer de la gélatine pour que tout reste bien en place avec notre chapeau. C'est aussi le temps de prendre un bon déjeuner pas trop lourd (par exemple, des fruits, du yogourt, des barres tendres).

07H00 Je dois me rendre au bassin de compétition avec ma ou mes coéquipières (selon que la compétition est en duo ou en équipe) pour notre réchauffement de natation, qui dure environ 30 minutes. Toutes les équipes sont convoquées en même temps ; il y a différents bassins pour l'échauffement.

07H30 Nous nous échauffons environ une heure sur la musique qui accompagnera notre prestation. Toutes les équipes ont la chance d'entendre leur musique. Nous pouvons alors nous entraîner dans un bassin à part et nous faisons ce qu'on appelle du *spacing* : nous exécutons nos mouvements sur les mêmes temps.

09H30 Selon que la pratique avec musique s'est bien déroulée ou non, nous pouvons continuer à faire des retouches dans le bassin d'à côté.

10H00 Nous visionnons notre échauffement avec la musique pour que chacune puisse constater où elle a fait des erreurs.

12H00 C'est le temps de nous reposer un peu et de prendre un bon dîner! Ce que nous mangeons dépend toujours du nombre d'heures qui nous séparent de la compétition. Plus elle est proche, moins nous mangeons! Mieux vaut grignotter que de prendre un trop gros repas.

15H00 Les retouches! Il faut maintenant replacer notre coiffure si elle s'est défaite et nous maquiller. Nous enfilerons bientôt notre maillot de compétition.

16H00 Parfois, nous faisons une répétition à sec, ce qui veut dire que nous sommes en dehors de l'eau et que nous effectuons tous les mouvements avec les mains, en écoutant notre musique, pour voir si nous sommes bien synchronisées.

17H00 C'est la parade des athlètes! Vêtues de notre survêtement d'équipe, nous défilons devant les juges et les spectateurs.

18H00 La compétition commence. Il faut attendre notre tour. En ce qui me concerne, lorsqu'il ne reste que six ou sept prestations avant que ce soit à nous, je vais m'échauffer tranquillement dans un autre bassin.

19H00 Deux prestations avant que ce soit à notre tour, nous passons à la chambre d'appel où nous devons montrer notre accréditation pour être identifiées. Lorsqu'il s'agit d'une compétition d'équipe, nous faisons une réunion où la capitaine (Marie-Pierre Gagné) nous répète tous les petits points importants sur lesquels nous devons nous concentrer.

19H08 C'est à nous! Nous faisons la marche protocolaire devant les juges (un nombre de pas bien précis) et nous nous jetons à l'eau!

19H12 C'est déjà terminé! Nous devons maintenant passer par la zone mixte, où nous rencontrons les journalistes et accordons des entrevues si nécessaire. Il est également possible que nous soyons appelées pour passer un test de dopage*; un certain nombre de nageuses choisies au hasard doivent subir cette étape.

19H30 C'est le temps de connaître le verdict de nos entraîneurs. Nous discutons de notre performance en la visionnant sur vidéo.

20H30 Après que tout est terminé, nous allons manger, toutes les filles de l'équipe ensemble, et parfois nous faisons un peu la fête! Toutefois, si j'ai une autre compétition le lendemain (en duo, par exemple), je dois enfiler mon maillot et retourner à la piscine pour m'entraîner de nouveau!

---

* Test de dopage: cela consiste à recueillir l'urine des athlètes pour l'analyser et vérifier qu'elle ne contient pas de drogue ou de trace de médicaments particuliers qui pourraient améliorer les performances.

JASON VEUT SAVOIR

Question: Comment les chevaux des compétitions équestres se rendent-ils jusqu'en Chine?

Réponse de Léon:

Mme Natasha Moureau, propriétaire d'une compagnie de transport et de pension pour chevaux en France, nous a permis de répondre à cette question.

Il faut savoir, tout d'abord, que les chevaux des athlètes qui pratiquent des sports équestres sont un élément essentiel à leur performance. Ce n'est pas comme une raquette de tennis qui peut être remplacée à n'importe quel moment par une autre identique; chaque cheval est différent et nécessite un entraînement très précis. C'est la raison pour laquelle l'athlète doit être accompagné de son cheval pour prendre part aux compétitions.

Dans un premier temps, les chevaux sont transportés en camion jusqu'aux différents aéroports pour qu'ils puissent prendre l'avion. En attendant leur vol, ils sont mis dans des box*.

Dans l'avion, les chevaux sont placés en groupes de trois (les uns à côté des autres) dans un compartiment qu'on appelle un conteneur. Durant tout le voyage en avion, qui peut parfois être très long (surtout lorsqu'on s'en va en Chine!), les chevaux ne peuvent pas bouger. Ils recoivent donc de l'eau et un peu de foin toutes les deux heures pour les aider à patienter. Un vétérinaire est toujours à bord près d'eux, car si un cheval se met à paniquer, on doit lui administrer un calmant pour l'endormir légèrement et éviter qu'il énerve les autres.

Une fois arrivés, les chevaux sont à nouveau placés dans des box spacieux et subissent quelques tests pour vérifier qu'ils n'ont pas de maladies qui pourraient infecter d'autres animaux. Si les résultats des tests sont favorables, les chevaux ont accès au territoire chinois! Il ne leur reste plus qu'à attendre qu'un camion vienne les chercher pour les conduire aux écuries près des lieux où se dérouleront les différents concours.

* Box : compartiment cloisonné pour un seul cheval dans une écurie ou une salle commune.

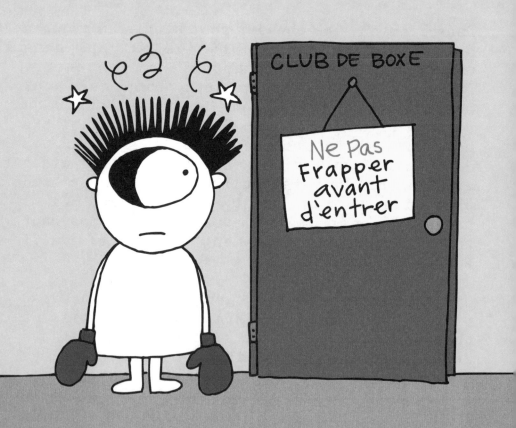

Pause
pub

Vous avez une grosse ampoule ?

Essayez le tout nouvel onguent « 100 watts »

« 100 watts »

Tout simplement électrisant !

LES MÉDAILLES OLYMPIQUES

TOUT UN TRAVAIL !

LE CHAT

LÉON

LOLA

157

Le 11 janvier 2006, les organisateurs des Jeux olympiques de Pékin ont lancé à l'échelle mondiale un concours pour inviter toutes les personnes intéressées à créer la plus belle médaille possible. Au bout de trois mois, le comité responsable de ce dossier a reçu 265 œuvres de différentes provinces de la Chine, de Hong-Kong ainsi que des États-Unis, de l'Australie, de la Russie et de l'Allemagne. Ensuite, il a réuni des experts et des savants chinois travaillant dans les domaines de l'art, de la sculpture et de la fabrication des monnaies afin de soumettre ces œuvres à une première sélection. La médaille pour les Jeux de Pékin, conçue par un groupe d'artistes chinois, a finalement été choisie à l'hiver 2007, après neuf mois d'évaluation. Ouf! Tout un travail!

Les médailles des Jeux olympiques de Pékin auront un diamètre de 7 cm et une épaisseur de 6 mm. Leur face sera ornée d'un dessin de la déesse de la victoire, Niké, et d'une vue du stade Panathinaikos, lieu mythique situé en Grèce où ont eu lieu les tout premiers Jeux olympiques de l'histoire. Au milieu du revers de la médaille sera incrusté un disque de jade, à l'intérieur duquel sera gravé l'emblème des Jeux de Pékin.

Plus de 50 000 médailles seront fabriquées pour ces Jeux olympiques. Leur réalisation exigera 13 kg d'or jaune, soit le poids d'un caniche de taille moyenne, 1,3 tonne d'argent blanc, ce qui représente environ le poids d'un cheval adulte, et 6,9 tonnes de bronze, c'est-à-dire l'équivalent du poids d'un éléphant ! Elles seront lourdes, ces médailles !

Éléphant

Cheval adulte

7 cm

6 mm

Déesse de la victoire, Niké

Caniche de taille moyenne

Saviez-vous ça ?

Il n'existe pas d'âge minimal ou maximal pour participer aux Jeux olympiques.

Afin d'être admissible aux Jeux olympiques, un concurrent doit se conformer à la Charte olympique ainsi qu'aux règles de la Fédération internationale de son sport. Il n'y a toutefois aucune limite relative à l'âge. Donc, théoriquement, un enfant super doué ou un vieillard encore très actif peuvent tous deux prendre part aux Jeux. Encore mieux : ils pourraient se retrouver à compétitionner l'un contre l'autre !

JEUX PARALYMPIQUES

UNE FOIS LES JEUX OLYMPIQUES TERMINÉS, tout n'est pas fini ! Quelques jours après cet événement, une autre compétition importante se met en branle : les Jeux paralympiques.

LES PARALYMPIQUES, C'EST COMPLÈTEMENT LOGIQUE!

Le mot «paralympique» est dérivé des deux termes «paraplégique*» et «olympique». Logique! Au fil des années, comme ce n'était plus seulement les personnes paraplégiques qui pouvaient participer à ces Jeux, mais bien toutes celles ayant un handicap, on en est venu à dire que «para» signifiait plutôt «parallèle». Les Jeux paralympiques sont donc un événement qui se déroule parallèlement aux Jeux olympiques. Cette année, ils auront lieu du 6 au 17 septembre 2008, aussi à Pékin.

* Paraplégique: personne qui n'a plus l'usage de ses jambes pour cause de paralysie.

À la suite de la Deuxième Guerre mondiale, d'où plusieurs soldats sont revenus blessés, un docteur anglais, Ludwig Guttmann, a inventé le handisport: il s'agissait en fait d'organiser des jeux sportifs adaptés aux personnes qui avaient perdu l'usage d'un membre pour leur permettre de bouger et de garder la forme. Le handisport était au départ une activité de loisir, mais est devenu par la suite une compétition. Une idée super, non?

C'est en 1960, à Rome, que la première édition des Jeux paralympiques d'été eut lieu. Il fallut attendre jusqu'en 1976 avant que cette expérience soit tentée à des Jeux d'hiver. Il est vrai que c'est plutôt difficile et dangereux de descendre une pente de ski en fauteuil roulant...

DES SPORTS MODIFIÉS, MAIS SPECTACULAIRES!

Évidemment, pour que chaque compétition soit équitable, il faut diviser les handicaps en plusieurs catégories. Ce ne serait pas juste si un athlète manchot* devait affronter un unijambiste à l'aviron, puisque dans ce sport, les bras sont beaucoup plus importants que les jambes!

Certains des handisports de compétition sont des adaptations de sports que l'on pratique aux Jeux olympiques, comme le basketball en fauteuil roulant, le cyclisme où l'on pédale avec les mains, le judo pour les personnes malvoyantes ou non voyantes, ou encore le volley-ball assis. Oui, oui, les volleyeurs jouent assis par terre. Évidemment, le filet est moins haut, et les dimensions du terrain sont réduites. Ça doit être assez impressionnant de voir ça!
Il y a aussi certaines disciplines qu'on trouve seulement aux Jeux paralympiques, comme celles-ci:

Le goal-ball: il s'agit d'un sport de ballon pour les athlètes déficients visuels. On insère une petite clochette dans le ballon, ce qui permet aux joueurs de le localiser. Puis, on fait rouler le ballon, un peu comme aux quilles, pour marquer des points de l'autre côté.
Le rugby en fauteuil roulant: ça ressemble au football américain, ça se joue sur un terrain de basketball et c'est un peu violent... surtout pour le fauteuil! Le rugby traditionnel est un sport de contact; en fauteuil roulant, c'est plutôt celui-ci, et non le joueur, qui reçoit les coups.

* Manchot: personne à qui il manque
  une main ou un bras.

TROP CHAMPION!

Le Canada est habituellement très bien représenté aux Jeux paralympiques. À ceux d'Athènes en 2004, nos athlètes ont remporté un total de 72 médailles, dont 28 d'or! Ce résultat a valu à notre pays le troisième rang au classement général. Cool!

Une des stars de ces Jeux fut Benoît Huot, un nageur âgé de 24 ans qui a récolté un total de six médailles. Ce jeune homme a connu bien du succès l'année dernière en établissant plusieurs records du monde dans différentes épreuves. Un vrai poisson dans l'eau!

Un autre nom à surveiller, toujours en natation: Kirby Côté. Cette demoiselle non voyante a raflé sept médailles aux derniers Paralympiques... On lui dit: «Merde!»

Enfin, on ne peut pas parler des Paralympiques sans mentionner la Québécoise Chantal Petitclerc. Cette grande athlète paraplégique a été couronnée plusieurs fois championne du monde en athlétisme (fauteuil roulant) et, surtout, elle a décroché cinq médailles d'or aux derniers Jeux paralympiques, aux courses de 100, 200, 400, 800 et 1500 m. Parions qu'elle est plus rapide que beaucoup d'entre nous avec son fauteuil!

RECORDS
DE TOUS LES
TEMPS

Les moments les **plus** marquants des Jeux olympiques d'été

1904 : UN GYMNASTE TOUCHE DU BOIS

À Saint Louis, aux États-Unis, l'athlète le plus remarquable est le gymnaste américain George Eyser, qui décroche six médailles... même s'il a une jambe de bois ! Il remporte l'or aux barres parallèles, au saut de cheval et à la corde lisse, ainsi que l'argent au cheval d'arçons et le bronze à la barre fixe. Il termine les Jeux avec une seconde médaille d'argent, qui lui est remise pour l'ensemble de ses résultats.

1908 : VITE, SAUVE-TOI !

À Londres, le Suédois Oscar Swahn gagne deux médailles d'or aux épreuves du tir... sur cerf. Eh oui, à cette époque, la cible était bel et bien un pauvre cerf en pleine course ! En 1912, à Stockholm cette fois-ci, Swahn défendra son titre de champion olympique à l'âge de 64 ans. Pas mal pour un grand-papa !

1912 : TU PARLES D'UN COUP DE PIED !

Le joueur de football (ou de soccer) allemand Gottfried Fuchs marque 10 buts au cours d'un match contre les Russes, que son équipe remporte 16 à 0. Son record restera inégalé près de 90 ans, n'étant battu qu'en 2001 par l'Australien Archie Thompson, qui comptera 13 buts à l'occasion d'une victoire mémorable de 31-0 de l'Australie sur les Samoa américaines*.
Tout un massacre !

1948 : ASCENSION FULGURANTE
À Londres, l'Américain Bob Mathias, âgé de 17 ans, décroche la médaille d'or du décathlon* seulement quatre mois après avoir fait ses débuts dans ce sport. À cette époque, il est le plus jeune athlète de l'histoire olympique à avoir gagné une médaille d'or en athlétisme. Tout un talent !

1960 : LE PLUS RAPIDE NU-PIEDS
À Rome, l'Éthiopien Abebe Bikila devient le héros de toute l'Afrique en remportant l'épreuve du marathon (42,195 km) les pieds nus ! En 1964, à Tokyo, il conservera son titre de champion olympique, mais en portant des espadrilles. Parions qu'il a eu moins mal aux pieds cette fois-là !

1968 : UNE VICTOIRE À LA PUISSANCE 7
À Munich, le nageur américain Mark Spitz, âgé de 22 ans, réalise l'un des plus grands exploits de l'histoire des Jeux olympiques en gagnant sept médailles d'or en sept jours et en sept courses ! De plus, il réussit à établir le record du monde de chaque épreuve. C'est à croire que le 7 est son chiffre chanceux !

1976 : L'IDOLE D'ANNIE GROOVIE BRILLE DE TOUS SES FEUX !
À Montréal, la gymnaste roumaine Nadia Comaneci, âgée de 14 ans, rafle cinq médailles dont trois d'or et obtient pour la première fois de l'histoire des Jeux la note parfaite de 10, et ce, à sept reprises ! Saviez-vous que c'est grâce à elle si Annie Groovie a développé une passion pour la gymnastique ?

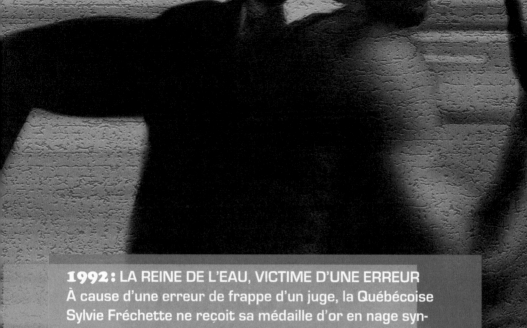

1992 : LA REINE DE L'EAU, VICTIME D'UNE ERREUR

À cause d'une erreur de frappe d'un juge, la Québécoise Sylvie Fréchette ne reçoit sa médaille d'or en nage synchronisée que 14 mois après les Jeux de Barcelone — on lui a d'abord remis la médaille d'argent. Malgré l'injustice, l'Américaine Kristen Babb-Sprague pourra conserver elle aussi sa médaille d'or.

1996 : UN CANADIEN VITE COMME L'ÉCLAIR

À Atlanta, le Canadien Donovan Bailey remporte l'épreuve reine du 100 m en battant le record olympique avec un temps de 9,84 s. Cette même année, il accroche une autre médaille d'or à son cou en compagnie de ses compatriotes (Bruny Surin, Robert Esmie et Glenroy Gilbert) après qu'ils eurent terminé premiers au 4 x 100 m (le relais).

2008 : À QUI LE RECORD LE PLUS MARQUANT ?

Et si c'était maintenant au tour d'un Québécois de marquer l'histoire des Jeux olympiques ?

La réflexion de Léon

VANCOUVER 2010

Et les prochains Jeux d'hiver se tiendront à... Vancouver !

Depuis 1994, les Jeux olympiques ont lieu tous les deux ans, avec une alternance entre ceux d'hiver et ceux d'été. C'est pourquoi il faut déjà penser aux prochains, même si ceux de Pékin ne sont pas encore terminés. Et c'est notre pays qui aura la chance de les accueillir, à Vancouver, la métropole de la Colombie-Britannique, à l'hiver 2010!

C'est où, la Colombie-Britannique?

C'est facile à situer! Vous n'avez qu'à prendre une carte du
Canada et à placer votre index à l'extrême gauche, au point le plus
à l'ouest du pays. Votre doigt se trouvera alors directement sur cette
province. Ce sera la troisième fois que le Canada sera l'hôte des Jeux,
qui ont eu lieu à Montréal en 1976 et à Calgary en 1988.

Vancouver est une des villes les plus importantes du Canada.
Son climat maritime (à cause de l'océan Pacifique, qui la borde) crée
un environnement où il fait bon vivre. Sa population ne connaît pas
de grands froids comme au Québec, mais elle reçoit beaucoup
de pluie. Une chance que les Rocheuses, qui entourent la ville,
sont immenses! Ainsi, il arrive souvent qu'il pleuve en bas de la
montagne de Whistler, où se dérouleront les compétitions de ski
et de planche, alors qu'au sommet tombent de gros flocons...

Vancouver est également une ville où se côtoient des gens
de toutes les cultures: un habitant sur trois est d'origine
asiatique, c'est-à-dire que ses parents ou lui sont nés en Asie,
en Chine ou au Japon, par exemple. Avec les grands espaces
naturels qui l'entourent, l'hiver canadien et sa grande diversité
culturelle, Vancouver est un lieu de rêve pour accueillir
les prochains Jeux d'hiver!

Quel sera l'emblème de ces Jeux ?

L'emblème des Jeux de 2010 est un inukshuk, une sculpture faite de pierres posées les unes par-dessus les autres pour former l'image d'un être humain. On l'utilise comme point de repère pour les voyageurs, dans les immenses territoires arctiques du nord canadien où il fait très, très froid ! Au fil des années, l'inukshuk est devenu un symbole d'espoir et d'amitié. Avec ses bras grands ouverts, il signifie qu'il est prêt à accueillir les peuples du monde entier. C'est donc un emblème idéal pour des Jeux olympiques !

Ça glisse ! Ça glisse !

Aux Jeux d'hiver, il y a deux catégories principales de sports : ceux de glace et ceux de neige. Les sports de glace comprennent évidemment le patinage de vitesse, le patinage artistique, le hockey et le curling. Quant aux sports de neige, ils comportent toutes les disciplines de ski (le ski de fond, le ski alpin, le saut à ski, le ski acrobatique, sans oublier le surf des neiges) en plus du biathlon* et des quelques épreuves de glisse (le bobsleigh*, la luge et le skeleton*).

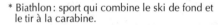

* Biathlon : sport qui combine le ski de fond et le tir à la carabine.

* Bobsleigh : engin monté sur des patins avec lequel on glisse sur des pistes de glace, à deux ou à quatre.

* Skeleton : sport très similaire à la luge, qui se pratique toutefois tête première sur des pistes de glace.

Il ne reste plus qu'un an et demi à attendre avant cette prestigieuse compétition. Si vous voulez y aller, dépêchez-vous d'acheter vos billets… Ils seront en vente à partir du mois d'octobre prochain.
Vous aurez le choix du moyen de transport pour vous rendre en Colombie-Britannique. Pour profiter du paysage, il y a le train, qui vous permet de faire le périple Montréal-Vancouver en 86 heures ! Sinon, vous pouvez y aller en voiture, ce qui représentera un bon trois jours de route, sans trop d'arrêts pipi… Et si vous êtes pressés, rien ne vous empêche de prendre l'avion. Vous arriverez à destination en un temps record de cinq heures… Mais si vous êtes plutôt du genre aventureux, suivez-moi ! J'ai déjà chaussé mes skis et je devrais y être dans un an et demi…

Si vous voulez en savoir plus,
consultez le site Internet officiel des Jeux de 2010 au :
WWW.VANCOUVER2010.COM/FR

PAUVRES ATHLÈTES !

TEST : CONNAISSEZ-VOUS LES JEUX OLYMPIQUES ?

Les réponses se trouvent dans le livre...

1. De quelles couleurs sont les cinq anneaux olympiques ?

a) Bleu, noir, rouge, jaune et vert
b) Mauve, bleu, vert, jaune, orange
c) Brun, gris, kaki, rouge, jaune
d) Toutes ces réponses

2. Dans quel pays les Jeux olympiques ont-ils été inventés ?

a) En Olympe
b) Au Canada
c) En Chine
d) En Grèce

3. Lequel de ces sports n'est pas présenté aux Jeux olympiques ?

a) Le lancer du poids
b) Le lancer du javelot
c) Le lancer du téléphone cellulaire
d) Le lancer du marteau

4. Comment s'appellent les jeux pour les athlètes handicapés ?

a) Les Jeux parascolaires
b) Les Jeux paralympiques
c) Les Jeux paraolympiques
d) Les Jeux paraboliques

5. Laquelle de ces langues est une des langues officielles des Jeux olympiques ?

a) L'allemand
b) Le japonais
c) Le français
d) Le serbo-croate

6. Quelle est la devise des Jeux olympiques ?

a) L'important, c'est de finir premier.
b) *Citrus, orangeus, clementinus.*
c) *Citius, altius, fortius.*
d) L'important n'est pas de gagner, mais de participer.

7. Quel est le seul animal qui prend part aux compétitions des Jeux olympiques ?

a) La chauve-souris
b) Le bourdon
c) Le cheval
d) Le crapaud

8. Dans quelle ville auront lieu les Jeux olympiques de 2010 ?

a) Los Angeles
b) Vancouver
c) Toronto
d) Chibougamau

9. Lequel de ces sports ne fait pas partie de l'athlétisme ?

a) Le 110 m haies
b) Le lancer du disque
c) Le saut à la perche
d) Le tennis

10. Pourquoi le coureur Oscar Pistorius ne pourra-t-il pas participer aux Jeux olympiques de Pékin ?

a) Parce qu'il n'existe pas !
b) Parce qu'il n'a que 13 ans.
c) Parce que les prothèses qui remplacent ses jambes font en sorte qu'il court trop vite.
d) Parce qu'il a perdu ses billets d'avion.

11. Combien y a-t-il d'habitants en Chine ?

a) Un peu moins d'un milliard
b) Plus de deux milliards
c) Plus d'un milliard
d) 800 millions

12. Quel athlète olympique a remporté sept médailles d'or en sept compétitions ?

a) La gymnaste roumaine Nadia Comaneci
b) Le nageur australien Ian Thorpe
c) Le plongeur québécois Alexandre Despatie
d) Le nageur américain Mark Spitz

13. Quel est le rôle d'un physiothérapeute ?

a) Il veille à organiser l'horaire des athlètes.
b) Il surveille l'alimentation des sportifs et leur conseille un menu santé.
c) Il lave les vêtements après les entraînements.
d) Il s'occupe des blessures musculaires en aidant à les guérir.

14. Quel est le sport national des Chinois ?

a) Le football (communément appelé ici le soccer).
b) Le ping-pong
c) La gymnastique
d) Le karaté

15. Qu'est-ce qu'on retrouve dans le thé qui est si bon pour la santé ?

a) Du calcium
b) Des antioxydants
c) Des oméga-3
d) Des herbes médicinales

16. Par quoi sont représentés les signes de l'horoscope chinois ?

a) Des fleurs
b) Des pierres précieuses
c) Des fruits
d) Des animaux

17. Quel matériau sera intégré à la médaille olympique des Jeux de Pékin ?

a) Du jade
b) De l'améthyste
c) Du verre
d) De l'acier

18. Quel est le porte-bonheur de la plongeuse Émilie Heymans ?

a) Un ourson en peluche
b) Une bague en or qu'elle n'enlève jamais
c) Ses maillots de bain
d) Un pendentif en cœur offert par sa grand-mère

19. Que mettent les nageuses synchronisées dans leurs cheveux pour les faire tenir en place ?

a) De la gélatine
b) De la vaseline
c) Du savon à vaisselle
d) Du fixatif à cheveux

20. Quelles sont les trois disciplines du triathlon ?

a) La nage, le vélo et la course
b) La course, le saut en longueur et le lancer du disque
c) Le plongeon, la nage et le vélo
d) L'aviron, le vélo et la course

Réponses à la page 196

RÉSULTATS DU TEST

Entre 15 et 20 bonnes réponses :
Bravo ! Vous êtes probablement du type à vous installer dans le salon dès la cérémonie d'ouverture, une encyclopédie sur les Jeux olympiques ouverte devant vous, pendant que vous vous entraînez les jambes sur votre vélo stationnaire et que vous levez des haltères avec vos bras. Vous devez être en pleine forme, et votre curiosité vous mènera loin !

Entre 10 et 14 bonnes réponses :
Bien ! Vous avez sans doute lu certains articles en diagonale, mais vous avez quand même su vous débrouiller. Vous vous intéressez peut-être plus aux sports que vous pratiquez qu'à ceux qu'on présente à la télé. Si c'est le cas, qui pourrait vous blâmer ?

Entre 5 et 9 bonnes réponses :
Pas mal, mais pour compenser, vous ferez 10 *push-ups* !

Entre 0 et 4 bonnes réponses :
Il faut LIRE le livre avant d'essayer de répondre aux questions du test ! Sinon, c'est beaucoup trop difficile ! Quoi, vous l'avez lu ? Eh bien, qu'attendez-vous pour recommencer ?

Venez laisser vos messages
d'**encouragement**
aux athlètes sur
radio-canada.ca/jeunesse/jo/tribune

Radio-Canada.ca

Bravo!
Youppi!
Bonne chance!
Super!
Wow!
Bonne chance!
Super!
Youppi!
Bonne chance!

MERCI À NOS CHERS ATHLÈTES

Pour faire ce livre, nous avons eu la chance de rencontrer plusieurs athlètes. Nous tenons à vous présenter ceux à qui nous n'avons pas pu consacrer une fiche complète, mais qui sont tout aussi importants !

Marie-Pierre Gagné, 25 ans, capitaine de l'équipe de nage synchronisée : Cette jeune femme rieuse et pleine d'énergie a pour objectif de mener son équipe jusqu'au podium en août prochain. Aux derniers Jeux, à Athènes, l'équipe canadienne de nage synchro avait mérité la cinquième place, ce qui est déjà un exploit.

Nicolas Mayer, 24 ans, escrime : Petit garçon, Nicolas était fasciné par Zorro, d'Artagnan (un des trois Mousquetaires) et les tortues Ninjas. Pourquoi ? Parce qu'ils maniaient tous des armes ! Cet escrimeur, médaillé de bronze aux derniers Jeux panaméricains, ne se rendra pas à Pékin, mais ce n'est que partie remise. Grâce à sa patience, il réalisera sûrement son rêve, qui est de participer aux Jeux olympiques. Dans quatre ans, peut-être ? On le lui souhaite de tout cœur.

Krystina Alogbo, 22 ans, capitaine de l'équipe de water-polo : Malheureusement, Krystina ne sera pas de la partie cette année, étant donné que son équipe n'a pu se qualifier pour les Jeux. Qu'à cela ne tienne : elle a plus d'un tour dans son sac ! Sa détermination la mènera loin, c'est évident.

Marilyse Lévesque, 25 ans, judo : Plus jeune, elle rêvait de pouvoir battre les garçons et surtout d'être la plus forte… On peut dire qu'après 17 ans de pratique du judo, Marilyse est une adversaire redoutable ! Son but, si elle se qualifie pour les Jeux de Pékin, est de terminer parmi les sept premières. On lui dit un gros « merde ! » pour la suite de sa carrière !

Jean Sayegh, 27 ans, water-polo : Cet amoureux du water-polo et son équipe en ont surpris plus d'un lorsqu'ils se sont qualifiés pour Pékin en mars dernier. Comme quoi les efforts sont toujours récompensés ! Jean réalisera son plus grand rêve cet été lorsqu'il sautera dans la piscine olympique pour représenter le Canada.

Maryse Turcotte, 33 ans, haltérophilie : Nous ne serions pas du tout surpris si ce petit bout de femme capable de soulever un poids équivalant à celui d'un gros ours noir (120 kg) prenait part aux Jeux de Pékin cet été. Après deux participations aux Olympiques et une quatrième place à Sydney en 2000, Maryse a tout ce qu'il faut pour faire rayonner notre pays à l'étranger.

Kathy Tremblay, 25 ans, triathlon : Décidée comme elle l'est, Kathy n'aura sûrement pas de misère à atteindre son but ultime, qui est d'accrocher une médaille olympique à son cou. Si jamais elle n'y parvient pas dès cette année, parions qu'elle y arrivera dans quatre ans ! Souhaitons la meilleure des chances à cette double championne canadienne.

Certains des athlètes présentés dans ce numéro très spécial de *Délirons avec Léon* partiront bientôt pour Pékin, d'autres, non. Peu importe, nous les admirons tous ! À chacun d'eux, nous souhaitons la meilleure des chances et disons, du fond du cœur : « Lâche pas la patate ! » Merci encore, chers athlètes, pour votre collaboration si généreuse.

LEQUEL DE CES PAYS REMPORTERA

REMPLISSEZ CETTE GRILLE AU FUR ET À MESURE, JUSQU'À LA FIN

	1	2	3	4	5	6	7	8	9	10	11	12	13	14	15	16	17	18	19	20
ALLEMAGNE																				
AUSTRALIE																				
AUTRICHE																				
BRÉSIL																				
CANADA																				
CHINE																				
CUBA																				
ESPAGNE																				
ÉTATS-UNIS																				
FRANCE																				
GRANDE-BRETAGNE																				
GRÈCE																				
ITALIE																				
JAPON																				
PAYS-BAS																				
ROUMANIE																				
RUSSIE																				

LE PLUS DE MÉDAILLES D'OR ?

DES JEUX, ET VOUS DÉCOUVRIREZ LE PAYS GAGNANT...

21 22 23 24 25 26 27 28 29 30 31 32 33 34 35 36 37 38 39 40 41 42 43 44 45

Photo : Dominique Malaterre

Annie Groovie voit le jour le 11 avril 1970, à 19 h 15, en plein souper de cabane à sucre. Elle grandit heureuse et comblée à Québec. Très tôt, elle développe un goût profond pour la création (et pour les sucreries...). Dès l'âge de huit ans, elle remporte son premier concours de dessin, grâce à son originalité.

Annie est diplômée en arts plastiques et bachelière en communications graphiques. Elle exerce le métier de conceptrice publicitaire depuis plusieurs années à Montréal, où elle habite depuis 1994 (eh oui, elle vieillit...).

Annie est une grande adepte de la gymnastique ainsi qu'une mordue de cirque et d'acrobaties de toutes sortes. En 1997, elle est sélectionnée par le Cirque du monde et part trois mois au Chili pour enseigner les arts du cirque aux enfants de la rue.

En 2003, Annie Groovie se découvre une toute nouvelle passion : la création de livres pour enfants. Aujourd'hui, les albums consacrés à son personnage de Léon « roulent » à merveille, et on peut même voir Léon à la télé, dans des dessins animés !

p. 185-188
1.a 2.d 3.c 4.b 5.c 6.c
7.c 8.b 9.d 10.c 11.c
12.d 13.d 14.a 15.b 16.d
17.a 18.c 19.a 20.a

p. 129

7	四	五	6
六		1	7
4	7	6	五
5	6	七	4

p. 126
LÉON EST LE ROI DES JEUX!

p. 135
réponse : G

P. 134-135

P. 132

(mots croisés)
ALLEMAGNE
RUSSIE
ESPAGNE
GRECE
CHINE
CUBA
SUISSE
CANADA
ETATS UNIS
FRANCE
AUSTRALIE
SUEDE
JAPON
ITALIE
BRESIL

Solutions

p.85
À VENIR

p. 106-107

1- **Vrai.** Avant tous les Jeux olympiques, on allume une première fois la flamme en faisant réfléchir les rayons solaires sur un miroir parabolique. Cela finit par provoquer un petit incendie bien délimité... dont on tire la fameuse flamme!

2- **Faux.** Certaines prises de soumission que les judokas effectuent sont conçues pour étouffer le rival... en toute légalité!

3- **Vrai.** Ainsi, au 100 m, par exemple, si le vent a une vitesse supérieure à 2 m/s (7,2 km/h) au moment de la course, le record (s'il y en a un) n'est pas homologué parce que l'athlète a bénéficié de «l'aide» du vent !

4- **Faux.** Pendant une partie de tennis en fauteuil roulant, la balle peut rebondir deux fois, alors qu'au tennis ordinaire on ne permet qu'un seul rebond.

5- **Vrai.** Le service des meilleurs joueurs masculins atteint régulièrement les 200 km/h. Tu parles d'un coup de raquette!

6- **Vrai.** Grâce à ces petits ressorts, les gymnastes peuvent rebondir très haut, ce qui leur permet de réussir des figures aussi impressionnantes que le double salto. Sans cela, ils n'arriveraient pas à se propulser assez haut pour faire autant de culbutes...

7- **Faux.** Il se joue aussi en double, chez les hommes et chez les femmes.

8- **Vrai.** Il est situé à Lausanne, en Suisse, et existe depuis juin 1993.

P. 50
LE KAYAK

P.125
1ᵉʳ PLACE : LE CHAT
2ᵉ PLACE : LÉON
3ᵉ PLACE : LOLA

p. 128
A. Balle de tennis
B. Balle de baseball
C. Ballon de basketball

p. 130-131

p. 127

g
c
e
f
a
b
d

NE MANQUEZ PAS
LES JEUX
OLYMPIQUES
DE PÉKIN
SUR **Radio-Canada.ca**
DÈS LE 8 AOÛT PROCHAIN.

POUR SUIVRE LÉON AUX OLYMPIQUES,
VISITEZ RADIO-CANADA.CA/JEUNESSE/JO

LÉON A MAINTENANT

1

Léon et les expressions

Léon et les superstitions

RIGOLONS AVEC LÉON !

Léon et les bonnes manières

Léon et l'environnement

DEUX COLLECTIONS !

DÉLIRONS AVEC LÉON !

Les éditions de la courte échelle inc.
5243, boul. Saint-Laurent
Montréal (Québec) H2T 1S4
www.courteechelle.com

Grande championne toutes catégories : Annie Groovie
Bras droit d'Annie Groovie, entraîneuse au développement et à la direction du projet : Amélie Couture-Telmosse
Triple médaillée d'or à la collaboration au contenu, recherche et rédaction : Joëlle Hébert
Médaillé d'argent à la collaboration au contenu : Philippe Daigle
Médaillé de bronze à la collaboration au contenu : Jean-Philippe Therrien
Sprinteuse étoile ayant collaboré à la direction artistique et aux illustrations : Émilie Beaudoin
Vainqueur dans toutes les disciplines reliées à l'infographie : Nathalie Thomas
Juges experts en langue française à la révision : André Lambert et Valérie Quintal
Muse : Franck Blaess

Une idée originale d'Annie Groovie

Dépôt légal, 2e trimestre 2008
Bibliothèque nationale du Québec

La courte échelle reconnaît l'aide financière du gouvernement du Canada par l'entremise du
Programme d'aide au développement de l'industrie de l'édition pour ses activités d'édition.
La courte échelle est aussi inscrite au programme de subvention globale du Conseil des Arts
du Canada et reçoit l'appui du gouvernement du Québec par l'intermédiaire de la SODEC.

La courte échelle bénéficie également du Programme de crédit d'impôt pour l'édition
de livres — Gestion SODEC — du gouvernement du Québec.

**Catalogage avant publication de Bibliothèque et Archives nationales du Québec et Bibliothèque et
Archives Canada**

Groovie, Annie

    Délirons avec Léon

    Sommaire : Spécial olympiques.
    Pour enfants de 8 ans et plus.

    ISBN 978-2-89651-068-9

1. Jeux intellectuels - Ouvrages pour la jeunesse. 2. Jeux-devinettes - Ouvrages pour la jeunesse.
3. Devinettes et énigmes pour la jeunesse. I. Titre.

GV1493.G76 2007   j793.73   C2006-942113-7

Imprimé au Canada